中华人民共和国国家标准

# 腈纶设备工程安装与质量验收规范

Code for installation and quality acceptance of
acrylic fibers equipment

GB/T 51259-2017

主编部门：中 国 纺 织 工 业 联 合 会
批准部门：中华人民共和国住房和城乡建设部
施行日期：2 0 1 8 年 3 月 1 日

中国计划出版社

2017 北京

中华人民共和国国家标准
**腈纶设备工程安装与质量验收规范**
GB/T 51259-2017

☆

中国计划出版社出版发行

网址：www.jhpress.com

地址：北京市西城区木樨地北里甲11号国宏大厦C座3层
邮政编码：100038  电话：(010) 63906433 (发行部)
北京市科星印刷有限责任公司印刷

---

850mm×1168mm  1/32  2.75印张  66千字
2018年2月第1版  2018年2月第1次印刷

☆

统一书号：155182·0194
定价：17.00元

**版权所有  侵权必究**
侵权举报电话：(010) 63906404
如有印装质量问题，请寄本社出版部调换

# 中华人民共和国住房和城乡建设部公告

## 第1668号

## 住房城乡建设部关于发布国家标准《腈纶设备工程安装与质量验收规范》的公告

现批准《腈纶设备工程安装与质量验收规范》为国家标准,编号为GB/T 51259—2017,自2018年3月1日起实施。

本规范在住房城乡建设部门户网站(www.mohurd.gov.cn)公开,并由我部标准定额研究所组织中国计划出版社出版发行。

中华人民共和国住房和城乡建设部
2017年8月31日

# 前　言

本规范是根据住房城乡建设部《关于印发〈2015年工程建设标准规范制订、修订计划〉的通知》（建标〔2014〕189号）的要求，由中国纺织工业联合会、北京中丽制机工程技术有限公司共同编制完成。

本规范在编制过程中，编制组根据我国腈纶行业的发展现状和可持续发展的需要，广泛调查研究，认真总结实践经验，并在广泛征求意见的基础上多次修改，最后经审查定稿。

本规范共分9章，主要技术内容包括：总则，基本规定，聚合、原液及回收设备工程安装，纺丝系统设备工程安装，通用设备工程安装，电气设施工程安装，仪表及计算机控制系统设备工程安装，安装工程系统调整与检测，安装工程验收。

本规范由住房城乡建设部负责管理解释，由中国纺织工业联合会负责日常管理工作，北京中丽制机工程技术有限公司负责具体技术内容的解释。执行过程中如有意见或建议，请寄送北京中丽制机工程技术有限公司（地址：北京市通州区中关村科技园通州园光机电一体化产业基地兴光四街3号；邮政编码：101111；电子邮箱：bjzl@ctamp.com.cn）。

本规范主编单位、参编单位、主要起草人和主要审查人：

主 编 单 位：中国纺织工业联合会
　　　　　　北京中丽制机工程技术有限公司
参 编 单 位：恒天重工股份有限公司
　　　　　　邯郸宏大化纤机械有限公司
　　　　　　邵阳纺织机械有限责任公司
主要起草人：郭素娟　吴朝晖　姜茂琪　马　冲　王　敏

**主要审查人:**
亓国红　吴量夫　李亚琼　林　健　陈鹏飞
张世平　张万和　薄广明　车宏晶　尹振文
罗伟国　刘广喜　张厚羽　李　杰　赵关红
许　军　杨铁荣

# 目　　次

1 总　　则 …………………………………………………（ 1 ）
2 基本规定 …………………………………………………（ 2 ）
　2.1 一般规定 ……………………………………………（ 2 ）
　2.2 设备基础 ……………………………………………（ 3 ）
　2.3 地脚螺栓、垫铁与灌浆 ……………………………（ 5 ）
　2.4 开箱验收与贮存 ……………………………………（ 6 ）
　2.5 安全、职业卫生及环境保护 ………………………（ 7 ）
3 聚合、原液及回收设备工程安装 ………………………（ 9 ）
　3.1 聚合釜 ………………………………………………（ 9 ）
　3.2 终聚釜 ………………………………………………（ 9 ）
　3.3 脱单塔 ………………………………………………（ 10 ）
　3.4 真空转鼓过滤机 ……………………………………（ 10 ）
　3.5 聚合物挤出机 ………………………………………（ 11 ）
　3.6 聚合物烘干机 ………………………………………（ 12 ）
　3.7 静态混合器 …………………………………………（ 12 ）
　3.8 溶解机 ………………………………………………（ 13 ）
　3.9 原液混合罐 …………………………………………（ 14 ）
　3.10 原液压滤机 …………………………………………（ 14 ）
　3.11 脱泡机 ………………………………………………（ 15 ）
　3.12 五效蒸发装置 ………………………………………（ 16 ）
　3.13 塔类设备 ……………………………………………（ 17 ）
4 纺丝系统设备工程安装 …………………………………（ 19 ）
　4.1 纺丝机 ………………………………………………（ 19 ）

|     |                          |      |
| --- | ------------------------ | ---- |
| 4.2 | 水洗与上油联合机 | (20) |
| 4.3 | 牵伸机 | (22) |
| 4.4 | 连续蒸汽定型机 | (23) |
| 4.5 | 链板烘干机 | (23) |
| 4.6 | 辊筒烘干机 | (25) |
| 4.7 | 间歇蒸汽定型机 | (25) |
| 4.8 | 卷曲机 | (27) |
| 4.9 | 切断机 | (28) |
| 4.10 | 短纤维打包机 | (28) |
| 4.11 | 卷绕机 | (30) |

5 通用设备工程安装 ………………………………… (32)
    5.1 槽罐 ………………………………………………… (32)
    5.2 泵 …………………………………………………… (32)
    5.3 风机 ………………………………………………… (33)
    5.4 换热器 ……………………………………………… (34)
    5.5 喷丝头清洗设备 …………………………………… (36)

6 电气设施工程安装 ………………………………… (37)
    6.1 电气设施及配线敷设 ……………………………… (37)
    6.2 电气设备引出端子接线 …………………………… (38)
    6.3 接地与接地线 ……………………………………… (39)

7 仪表及计算机控制系统设备工程安装 …………… (41)
    7.1 仪表工程 …………………………………………… (41)
    7.2 计算机控制系统 …………………………………… (41)

8 安装工程系统调整与检测 ………………………… (43)
    8.1 机械系统调整与检测 ……………………………… (43)
    8.2 电气系统调整与检测 ……………………………… (43)
    8.3 仪表系统调整与检测 ……………………………… (45)
    8.4 机电联调 …………………………………………… (45)

9 安装工程验收 ……………………………………… (47)

本规范用词说明 …………………………………………（49）
引用标准名录 ……………………………………………（50）
附：条文说明 ……………………………………………（53）

# Contents

1 General provisions ·········································· ( 1 )
2 Basic requirements ········································· ( 2 )
   2.1 General requirements ································· ( 2 )
   2.2 Equipment foundation ································· ( 3 )
   2.3 Anchor bolt, bearer and grouting ····················· ( 5 )
   2.4 Unpacking check and storage ························· ( 6 )
   2.5 Safety, occupational health and environmental protection ············································· ( 7 )
3 Polymerization, solution and recycling equipment engineering installation ··································· ( 9 )
   3.1 Polymerization reactor ······························· ( 9 )
   3.2 Final polymerization reactor ························· ( 9 )
   3.3 Demonomerization tower ······························· ( 10 )
   3.4 Vacuum drum filter ··································· ( 10 )
   3.5 Polymer extruder ····································· ( 11 )
   3.6 Polymer dryer ········································ ( 12 )
   3.7 Static mixer ········································· ( 12 )
   3.8 Dissolving machine ··································· ( 13 )
   3.9 Dope mixing tank ····································· ( 14 )
   3.10 Dope filter press ··································· ( 14 )
   3.11 Deaerator ··········································· ( 15 )
   3.12 Five effect evaporation device ······················ ( 16 )
   3.13 Tower equipment ····································· ( 17 )
4 Spinning system equipment engineering

installation ( 19 )
 4.1 Spinning machine ( 19 )
 4.2 Washing and oiling machine ( 20 )
 4.3 Drawing machine ( 22 )
 4.4 Continuous steam setting machine ( 23 )
 4.5 Chain plate dryer ( 23 )
 4.6 Roller dryer ( 25 )
 4.7 Batch steam setting machine ( 25 )
 4.8 Crimper ( 27 )
 4.9 Cutting machine ( 28 )
 4.10 Staple fiber baling presses ( 28 )
 4.11 Winder ( 30 )
5 General equipment engineering installation ( 32 )
 5.1 Tank ( 32 )
 5.2 Pump ( 32 )
 5.3 Fan ( 33 )
 5.4 Heat exchanger ( 34 )
 5.5 Spinneret cleaning equipment ( 36 )
6 Electrical engineering installation ( 37 )
 6.1 Electric installations and wiring ( 37 )
 6.2 Electric terminal and connection ( 38 )
 6.3 Grounding and ground wire ( 39 )
7 Instrument and computer engineering installation ( 41 )
 7.1 Instrumentation engineering ( 41 )
 7.2 Computer control system ( 41 )
8 System adjustment and testing of installation ( 43 )
 8.1 Mechanical system adjustment and testing ( 43 )
 8.2 Electrical system adjustment and testing ( 43 )
 8.3 Instrument system adjustment and testing ( 45 )

8.4 Joint adjustment of mechanical and electrical ............... ( 45 )
9 Inspection and approval ....................................... ( 47 )
Explanation of wording in this code ............................ ( 49 )
List of quoted standards ....................................... ( 50 )
Addition: Explanation of provisions ............................ ( 53 )

# 1 总　　则

**1.0.1** 为提高腈纶设备工程安装的施工水平和促进技术进步，指导和规范腈纶设备工程安装施工和质量验收，制定本规范。

**1.0.2** 本规范适用于新建、改建和扩建的以丙烯腈为主要原料的腈纶纤维和腈纶基(PAN)碳纤维原丝腈纶设备工程安装与质量验收。

**1.0.3** 腈纶设备工程安装与质量验收，除应符合本规范外，尚应符合国家现行有关标准的规定。

# 2 基本规定

## 2.1 一般规定

**2.1.1** 安装的各类设备、管道、管件、仪器仪表、电缆应符合工程设计文件的规定。

**2.1.2** 设备安装应满足工程设计文件要求。施工中当发现设计文件有差错时,应及时提出意见或建议,并应按原设计单位修改、变更的设计施工,直至满足设计要求。

**2.1.3** 设备安装前后的清洗、吹扫应符合现行国家标准《机械设备安装工程施工及验收通用规范》GB 50231 的有关规定。

**2.1.4** 现场设备管道的安装与验收应符合现行国家标准《工业金属管道工程施工规范》GB 50235 和《工业金属管道工程施工质量验收规范》GB 50184 的有关规定。

**2.1.5** 除压力容器焊接工程外,现场组装焊接应符合现行国家标准《现场设备、工业管道焊接工程施工规范》GB 50236 和《现场设备、工业管道焊接工程施工质量验收规范》GB 50683 的有关规定。

**2.1.6** 压力容器以及相关的安全附件及仪表安装应符合现行行业标准《固定式压力容器安全技术监察规程》TSG 21 和《压力容器安装改造维修许可规则》TSG R3001 的有关规定。

**2.1.7** 压力管道的安装及质量验收应符合下列规定:

  **1** 压力管道的现场制作安装应符合国家现行标准《压力管道规范 工业管道 第 4 部分:制作与安装》GB/T 20801.4 和《压力管道安全技术监察规程——工业管道》TSG D0001 的有关规定;

  **2** 压力管道的质量验收应符合现行国家标准《压力管道规范 工业管道 第 5 部分:检验与试验》GB/T 20801.5 的有关规定;

**3** 压力管道的安全防护应符合现行国家标准《压力管道规范 工业管道 第6部分:安全防护》GB/T 20801.6 的有关规定。

**2.1.8** 高温设备紧固件的螺纹应涂抹耐高温防烧结油脂。

**2.1.9** 高温连续运转设备安装后应按设备技术文件要求进行升温试验,温度和平衡时间应满足设备技术文件要求。

**2.1.10** 法兰连接的各段设备,法兰螺栓紧固后应与法兰紧贴,不得有楔缝,螺栓的外露长度应符合设计规定。

**2.1.11** 绝热工程安装和质量验收应符合现行国家标准《工业设备及管道绝热工程施工规范》GB 50126 和《工业设备及管道绝热工程施工质量验收规范》GB 50185 的有关规定。

**2.1.12** 检验仪器和检测工具应检定或校准合格,并应在有效期内。

**2.1.13** 设备安装与质量验收应符合合同和设备技术文件的约定,合同和设备技术文件约定的质量要求不得低于本规范的规定。

## 2.2 设备基础

**2.2.1** 设备基础地平面应符合下列规定:

**1** 设备基础施工应符合现行国家标准《机械设备安装工程施工及验收通用规范》GB 50231 的有关规定;

**2** 混凝土设备基础质量应符合现行国家标准《混凝土结构工程施工质量验收规范》GB 50204 和《建筑工程施工质量验收统一标准》GB 50300 的有关规定;

**3** 设备混凝土基础允许偏差和检测方法应符合表 2.2.1 的规定;

表 2.2.1 设备混凝土基础允许偏差和检测方法

| 序号 | 项 目 | 允许偏差(mm) | 检测方法 |
| --- | --- | --- | --- |
| 1 | 设备基础中心线与网柱中心线位置 | ±20 | 拉钢丝线、线锥法、钢卷尺 |

续表 2.2.1

| 序号 | 项目 | | 允许偏差(mm) | 检测方法 |
|---|---|---|---|---|
| 2 | 设备基础各平面标高 | | 0 | 水准仪 |
| 3 | 基础平面外形尺寸 | | ±20 | 钢卷尺 |
| 4 | 凸台基础平面外形尺寸 | | 0 | 钢卷尺 |
| 5 | 凹台基础平面外形尺寸 | | +20 | |
| 6 | 基础平面水平度 | 局部 | 5/1000 | 水准仪 |
|   |               | 全长 | 20 | |
| 7 | 基础立面垂直度 | 局部 | 5/1000 | 线锥法或经纬仪 |
|   |               | 全长 | 20 | |
| 8 | 预埋地脚螺栓孔 | 孔深度 | +20 / 0 | 钢板尺 |
|   |               | 中心距 | 10 | |
|   |               | 孔壁垂直度 | 10 | 线锥法 |
| 9 | 预埋地脚螺栓 | 标高 | +20 / 0 | 水准仪 |
|   |             | 根部中心距 | 2 | 钢板尺 |
|   |             | 顶部中心距 | 3 | |

4 设备安装前，施工方应对土建基础条件进行检测验收；

5 设备就位时，混凝土基础强度应达到设计强度值的75%以上，对照基础设计文件检测应符合现行国家标准《混凝土强度检验评定标准》GB/T 50107 的有关规定，并应满足技术文件对动负荷、静负荷的要求。

**2.2.2** 设备基础面弹线允许偏差和检测方法应符合表 2.2.2 的规定。

表 2.2.2 设备基础面弹线允许偏差和检测方法

| 序号 | 项目 | | 允许偏差(mm) | 检测方法 |
|---|---|---|---|---|
| 1 | 墨线直线度 | 线长≤20m | 0.5 | 用直径不大于0.5mm的钢丝线 |
| | | 20m<线长≤50m | 1.0 | |
| | | 线长>50m | 2.0 | |
| 2 | 墨线宽度 | | 1.0 | 钢板尺或钢卷尺 |
| 3 | 定位线(十字线)垂直度 | | 1.0 | 勾股弦法 |
| 4 | 主定位线与基准柱网中心线距离 | | ±1.0 | 钢卷尺 |
| 5 | 相邻两台设备定位线间距 | | ±1.0 | |
| 6 | 任意两不相邻机台定位线间距 | | ±2.0 | |
| 7 | 机台辅助线与主定位线距离 | 平行距离≤1m | ±0.5 | 用钢板尺或钢卷尺检测辅助线两端与定位线的距离 |
| | | 平行距离>1m | ±1.0 | |

**2.2.3** 钢结构平台制作和质量验收应满足设计要求和现行国家标准《钢结构工程施工质量验收规范》GB 50205 的有关规定,并应符合下列规定:

**1** 钢结构平台与高温设备的接触面应采取绝热措施;

**2** 钢结构平台冷热伸缩方向与设备的冷热伸缩方向应一致;

**3** 钢结构平台承受设备吊装、设备临时集中存放或人员集中操作的位置,应将吊装施工方案报原设计单位审核确认。

## 2.3 地脚螺栓、垫铁与灌浆

**2.3.1** 地脚螺栓施工和设备基础灌浆应符合现行国家标准《机械设备安装工程施工及验收通用规范》GB 50231 的有关规定。

**2.3.2** 地脚螺栓安装允许偏差和检测方法应符合表 2.3.2 的规定。

表 2.3.2 地脚螺栓安装允许偏差和检测方法

| 序号 | 项目 | 允许偏差 | 检测方法 |
|---|---|---|---|
| 1 | 地脚螺栓垂直度 | 10/1000 | 目视或线锥法 |

续表 2.3.2

| 序号 | 项目 | 允许偏差 | 检测方法 |
|---|---|---|---|
| 2 | 地脚螺栓距预留孔壁的距离 | ≥15.0mm | 钢板尺 |
| 3 | 拧紧螺母后地脚螺栓的外露长度 | (1.5～3.0)个螺距 | 目视 |

**2.3.3** 设备采用斜垫铁时宜与相应的平垫铁配合使用。

**2.3.4** 设备采用斜垫铁或平垫铁调平时应符合下列规定：

**1** 承受载荷的垫铁组，应使用成对斜垫铁；

**2** 承受重负荷或连续振动的设备，宜使用平垫铁；

**3** 垫铁组应平稳、整齐、接触良好，且不宜超过5块，薄垫铁厚度应大于2mm；

**4** 设备调平后，平垫铁宜露出10mm～30mm；斜垫铁宜露出10mm～50mm，垫铁组伸入设备底面的长度应超过设备地脚螺栓的中心；

**5** 铸铁垫铁可不焊接，其他材质的垫铁应焊牢，钩头成对斜垫铁能用灌浆层固定牢固的可不焊接；

**6** 安装在金属结构上的设备调平后，应将垫铁与金属结构焊牢；热胀冷缩的金属结构件焊接时应满足技术文件要求。

## 2.4 开箱验收与贮存

**2.4.1** 设备安装前应根据装箱清单、合同附件等文件开箱验收，形成检查验收记录并签字确认。检查验收应符合下列规定：

**1** 包装箱应完好无损；

**2** 箱号、箱数应与发货清单相符；

**3** 设备、安装用零部件、备品备件、专用工具的名称、型号、数量和规格应符合合同附件或装箱清单；

**4** 随机文件、图样应满足合同附件要求；

**5** 设备表面不应有损伤、锈蚀等现象；

**6** 设备管口应有相应的保护措施；

**7** 设备质量文件应齐全。

**2.4.2** 设备开箱后应办理交接手续,并应明确保管责任。

**2.4.3** 备品备件、专用工具应由用户分类保管。

**2.4.4** 设备、安装零部件等应分类保管在防雨、通风、安全的场所,不得有变形、损坏、锈蚀、错乱或丢失等现象。

**2.4.5** 技术文件、图样等资料应由用户及时归档并妥善保管。

## 2.5 安全、职业卫生及环境保护

**2.5.1** 安装现场的安全管理应符合下列规定:

**1** 对安装人员应进行安全教育,并应监督管理安装全过程;

**2** 在安装现场应设置灭火器材和安全防护设施;

**3** 安装现场与生产现场在同一建筑物内且安装工程对生产有影响时,应采取安全隔离措施;

**4** 现场工器具、待安装设备和安装材料,应由用户或责任方管理,并应保持整洁有序;

**5** 安装现场不得堆放与安装无关的物品;

**6** 安装现场宜设安全生产操作规程宣传栏,并宜在明显位置设安全卫生提示牌;

**7** 易燃易爆和危险化学物品应做到专人使用、专人管理,使用场所周围应采取防护措施;

**8** 安装人员应负责安全,完成每项任务后,应及时做好清洁卫生工作,保持工作区整洁;

**9** 安装现场发生事故后,安装人员应及时向主管负责人报告,并应协助做好善后工作;

**10** 安装人员应佩戴安全帽、手套等符合岗位操作的劳保用品。

**2.5.2** 安装现场作业环境应符合职业卫生相关要求,对产生粉尘、噪声、高温、光辐射等危害因素的作业场所应采取有效控制措施或配置相关个人防护用品。

2.5.3 安装现场环境保护措施应符合下列规定：

  **1** 安装现场应对循环利用的固体废弃物集中收集，并应分类存放；

  **2** 安装现场应设置垃圾收集站，施工垃圾和生活垃圾应分类存放，并宜及时清运出场；不能及时清运时，应采取防止二次污染的围挡措施；

  **3** 安装现场产生的污水、污液应集中收集和处理。

# 3 聚合、原液及回收设备工程安装

## 3.1 聚 合 釜

**3.1.1** 聚合釜安装前应清除釜内异物,法兰连接面应平整、无磕碰毛刺或影响密封的斑点等缺陷。

**3.1.2** 聚合釜安装允许偏差和检测方法应符合表 3.1.2 的规定。

表 3.1.2 聚合釜安装允许偏差和检测方法

| 序号 | 项 目 | 允许偏差(mm) | 检测方法 |
|---|---|---|---|
| 1 | 釜体标高 | ±5.0 | 钢卷尺 |
| 2 | 釜体方位 | 10.0 | 钢卷尺 |
| 3 | 釜体垂直 | 2/1000 | 线锥法 |
| 4 | 釜体上、下口法兰面水平度 | 2/1000 | 水准仪 |
| 5 | 搅拌轴机械密封处径向跳动 | 0.1 | 千分表 |
| 6 | 搅拌轴下端径向跳动 | 1.0 | 千分表 |

**3.1.3** 聚合釜安装中,碱性溶液不得接触铝制釜体。

**3.1.4** 聚合釜安装完成后,聚合釜严密性检测可采用充水方式,压力试验应满足设备技术文件要求。

**3.1.5** 聚合釜安装完成后,应打开搅拌机封水阀,检查机械密封水应畅通无堵塞、无泄漏。

**3.1.6** 聚合釜安装完成后,电机减速器润滑系统应满足设备技术文件要求。

## 3.2 终 聚 釜

**3.2.1** 终聚釜安装允许偏差和检测方法应符合表 3.2.1 的规定。

表 3.2.1 终聚釜安装允许偏差和检测方法

| 序号 | 项 目 | 允许偏差(mm) | 检测方法 |
|---|---|---|---|
| 1 | 支撑面高度 | ±2.0 | 钢卷尺 |
| 2 | 支撑面水平度 | 1/1000 | 水平仪 |
| 3 | 搅拌轴轴端径向跳动 | 0.1 | 千分表 |
| 4 | 搅拌器安装法兰面水平度 | 0.5/1000 | 水平仪 |

**3.2.2** 终聚釜安装完成后,终聚釜严密性检测可采用充水方式,压力试验应满足设备技术文件要求。

**3.2.3** 终聚釜安装完成后,电机减速器润滑系统应满足设备技术文件要求。

## 3.3 脱单塔

**3.3.1** 脱单塔安装前应检查各法兰密封面和密封件不得有影响密封性能的划痕、斑点等缺陷。

**3.3.2** 塔体组装后多段设备的同轴度允许偏差应满足设备技术文件要求。

**3.3.3** 脱单塔安装允许偏差和检测方法应符合表3.3.3的规定。

表 3.3.3 脱单塔安装允许偏差和检测方法

| 序号 | 项 目 | 允许偏差(mm) | 检测方法 |
|---|---|---|---|
| 1 | 支撑面高度 | ±2 | 钢卷尺 |
| 2 | 支撑面水平度 | 1/1000 | 水平仪 |

**3.3.4** 塔内件安装和质量验收,应符合现行国家标准《石油化工静设备安装工程施工质量验收规范》GB 50461 的有关规定。

**3.3.5** 脱单塔安装完成后,脱单塔严密性检测可采用充水方式,压力试验应满足设备技术文件要求。

## 3.4 真空转鼓过滤机

**3.4.1** 真空转鼓过滤机在现场运输、安装过程中应避免强力冲击。

**3.4.2** 真空转鼓过滤机安装前连接法兰应平整。

**3.4.3** 真空转鼓过滤机清洗吹扫应满足设备技术文件要求。

**3.4.4** 真空转鼓过滤机的吊装应符合下列规定：

    **1** 起重设备起重能力应大于真空转鼓过滤机重量的1.5倍；

    **2** 起吊时，应在绳索与真空转鼓过滤机接触面之间放置木质、塑料或其他的软垫板；

    **3** 起吊位置应在真空转鼓过滤机两端轴承座处，保持真空转鼓过滤机主轴水平，不应有滑动现象；

    **4** 套在吊钩上的绳索应在吊钩缠绕一圈及以上。

**3.4.5** 真空转鼓过滤机安装允许偏差和检测方法应符合表3.4.5的规定。

表 3.4.5 真空转鼓过滤机安装允许偏差和检测方法

| 序号 | 项目 | 允许偏差(mm) | 检测方法 |
| --- | --- | --- | --- |
| 1 | 支撑面高度 | ±2.0 | 钢卷尺 |
| 2 | 支撑面水平度 | 1/1000 | 水平仪 |
| 3 | 槽体轴向水平度 | 0.3/1000 | |
| 4 | 纵横向中心线 | ±2.0 | 钢卷尺 |

**3.4.6** 真空转鼓过滤机安装完成后，过滤机上下槽体的密封性检测可采用槽体充水方式，压力试验应满足设备技术文件要求。

**3.4.7** 真空转鼓过滤机安装完成后，应检测转鼓与吹气靴间隙，间隙值应满足设备技术文件要求。

## 3.5 聚合物挤出机

**3.5.1** 安装前，聚合物挤出机进料口法兰应平整，挤出头出口应清洗干净。

**3.5.2** 聚合物挤出机安装允许偏差和检测方法应符合表3.5.2的规定。

表 3.5.2 聚合物挤出机安装允许偏差和检测方法

| 序号 | 项目 | 允许偏差 | 检测方法 |
|---|---|---|---|
| 1 | 进料口法兰面水平度 | 0.20/1000 | 水平仪 |
| 2 | 联轴器同轴度 | φ0.15mm | 百分表 |
| 3 | 联轴器角度 | 30′ | 万能角度尺 |
| 4 | 模板与刀片间隙 | (0~0.03)mm | 游标卡尺、塞尺 |

**3.5.3** 聚合物挤出机安装完成后,机体部件传动处和减速箱润滑应满足设备技术文件要求。

**3.5.4** 聚合物挤出机安装完成后,应进行空载试运转,运转时间和速度应满足设备技术文件要求。

## 3.6 聚合物烘干机

**3.6.1** 聚合物烘干机安装允许偏差及检测方法应符合表 3.6.1 的规定。

表 3.6.1 聚合物烘干机安装允许偏差及检测方法

| 序号 | 项目 | | 允许偏差(mm) | 检测方法 |
|---|---|---|---|---|
| 1 | 基础板 | 基础板相邻接头高低差 | 0.2 | 水平仪和平尺 |
| 2 | | 基础板上表面水平度 | 0.3/1000 | |
| 3 | | 纵向水平度 | 5.0 | |
| 4 | 机架 | 机架中心线对机台中心线横向偏移 | 2.0 | 线锥法、钢板尺 |
| 5 | | 机架对机台十字线的不平行度 | 2.0 | |
| 6 | | 立柱与基础板垂直度 | 2.5 | |

**3.6.2** 隔热门之间间隙应一致,表面应在一个平面上,并应光洁,不得有磕碰、划伤。

**3.6.3** 隔热门开闭应轻便灵活。

## 3.7 静态混合器

**3.7.1** 安装前,静态混合器法兰密封面和密封件不得有影响密封性能的划痕、斑点等缺陷。

**3.7.2** 静态混合器安装允许偏差和检测方法应符合表3.7.2的规定。

表3.7.2 静态混合器安装允许偏差和检测方法

| 序号 | 项目 | 允许偏差(mm) | 检测方法 |
| --- | --- | --- | --- |
| 1 | 支撑面高度 | ±2 | 钢卷尺 |
| 2 | 支撑面水平度 | 1/1000 | 水平仪 |
| 3 | 进料口纵、横向中心线 | ±2 | 钢卷尺 |

**3.7.3** 静态混合器安装完成后,清洗、吹扫应满足设备技术文件要求。

## 3.8 溶解机

**3.8.1** 安装前,溶解机连接法兰应平整,校正变形的法兰,清除机内异物。

**3.8.2** 溶解机安装允许偏差和检测方法应符合表3.8.2的规定。

表3.8.2 溶解机安装允许偏差和检测方法

| 序号 | 项目 | 允许偏差(mm) | 检测方法 |
| --- | --- | --- | --- |
| 1 | 筒体中心法兰水平度 | 0.2/1000 | 水平仪 |
| 2 | 搅拌器垂直度 | 0.3/1000 | |
| 3 | 电机底座水平度 | 0.2/1000 | |
| 4 | 减速器安装平面水平度 | 0.2/1000 | |
| 5 | 搅拌轴输入端径向跳动 | 0.2 | 千分表 |

**3.8.3** 溶解机安装完成后,溶解机耐压性检测可采用加压方式,压力试验应满足设备技术文件要求,且保压时间不得小于30min,以压力表压力不降、所有部位无渗漏为合格。

**3.8.4** 溶解机安装完成后,溶解机密封性检测可采用抽真空或加压方式,密封性试验应满足设备技术文件要求,且保压时间不宜小于30min。

## 3.9 原液混合罐

**3.9.1** 原液混合罐安装允许偏差和检测方法应符合表3.9.1的规定。

表3.9.1 原液混合罐安装允许偏差和检测方法

| 序号 | 项 目 | 允许偏差(mm) | 检测方法 |
|---|---|---|---|
| 1 | 转子与定子锥面间隙 | 0.5～0.8 | 在转子每个叶片与定子锥面间放置铅丝,压紧转子再取出铅丝,用卡尺测量受压部位厚度 |
| 2 | 压紧机械密封动静环密封面的弹簧压缩量 | 4.0 | 钢板尺 |

**3.9.2** 原液混合罐挡环与轴承座间不得有间隙。

**3.9.3** 原液混合罐安装后应进行水压试验,压力试验应满足设备技术文件要求,各密封处不得有渗漏。

## 3.10 原液压滤机

**3.10.1** 原液压滤机安装允许偏差和检测方法应符合表3.10.1的规定。

表3.10.1 原液压滤机安装允许偏差和检测方法

| 序号 | 项 目 | 允许偏差(mm) | 检测方法 |
|---|---|---|---|
| 1 | 活塞中心线与纵向安装基础线偏移 | ±1.0 | 线锥法、钢板尺 |
| 2 | 进油管口中心线与横向安装基础线偏移 | ±1.0 | 线锥法、钢板尺 |
| 3 | 活塞中心线标高 | ±2.0 | 水准仪 |

续表 3.10.1

| 序号 | 项 目 | 允许偏差(mm) | 检测方法 |
|---|---|---|---|
| 4 | 活塞纵向水平度 | 0.2/1000 | 水平仪 |
| 5 | 两拉杆横跨水平度 | 0.2/1000 | 平尺、水平仪 |
| 6 | 活塞中心线与固定压紧板中心线偏移 | ±1.0 | 钢板尺 |

3.10.2 原液压滤机滤框和滤板结合面应紧密,不得有缝隙。

3.10.3 原液压滤机滤框和滤板凸耳孔边与周边应平齐。

3.10.4 原液压滤机液压系统试验应满足技术文件要求,保压时间应为 5min,压降不应大于 0.3MPa。

## 3.11 脱 泡 机

3.11.1 安装前,脱泡机连接法兰应平整,校正变形的法兰,清除机内异物。

3.11.2 脱泡机安装允许偏差和检测方法应符合表 3.11.2 的规定。

表 3.11.2 脱泡机安装允许偏差和检测方法

| 序号 | 项 目 | 允许偏差(mm) | 检测方法 |
|---|---|---|---|
| 1 | 筒体中心与安装基准中心 | ±2.0 | 线锥法、钢板尺 |
| 2 | 筒体大法兰上平面标高 | ±2.0 | 水平仪 |
| 3 | 筒体大法兰上平面水平度 | 0.2/1000 | |

3.11.3 脱泡机安装完成后,脱泡机耐压性检测可采用加压方式,试验压力应满足设备技术文件要求,且保压时间不得小于 30min,以压力表压力不下降、所有部位无渗漏为合格。

3.11.4 脱泡机安装完成后,脱泡机密封性检测可采用抽真空或加压方式,密封性试验应满足设备技术文件要求,且保压时间不宜小于 30min。

### 3.12 五效蒸发装置

**3.12.1** 五效蒸发装置安装前应清除装置内异物,法兰连接面应平整、无磕碰毛刺或影响密封的斑点等缺陷。

**3.12.2** 第一至第五效蒸发器安装允许偏差和检测方法应符合表3.12.2的规定。

表3.12.2 第一至第五效蒸发器安装允许偏差和检测方法

| 序号 | 项目 | 允许偏差(mm) | 检测方法 |
|---|---|---|---|
| 1 | 设备支撑座底面高度 | ±2 | 钢板尺 |
| 2 | 设备横向中心线位置 | ±2 | 钢板尺 |
| 3 | 设备纵向中心线 | ±2 | 线锥法、钢板尺 |
| 4 | 设备支撑座底面水平度 | 2/1000 | 水平仪 |

**3.12.3** 现场组焊应满足设计文件要求,当设计文件无要求时,其组焊应满足下列规定:

  1 焊接坡口加工应符合现行国家标准《压力容器 第4部分:制造、检验和验收》GB 150.4的有关规定;现场设备组焊前,应对焊接坡口质量确认,不符合规定时应修正;

  2 焊接接头对口错边量、焊前准备及施焊环境、焊接工艺、焊缝表面形状尺寸及外观要求、焊缝返修应符合现行国家标准《压力容器 第4部分:制造、检验和验收》GB 150.4的有关规定。

**3.12.4** 加热器、预加热器、第一至第五效蒸发器、混合冷凝器、过滤器安装前应按设计图样或技术文件要求划定安装基准线及定位基准标记,对相互有关联或衔接的设备,并应按关联或衔接要求确定共同基准。

**3.12.5** 第一至第五效蒸发器安装后,应进行水压和真空试验,压力试验应满足设备技术文件要求。

**3.12.6** 过滤器应进行气密性试验,密封性试验应满足设备技术文件要求。

3.12.7 现场组装的加热器管程、壳程水压试验应满足设备技术文件要求,保压时间应为12h,压降应小于5%。

### 3.13 塔类设备

3.13.1 塔类设备安装允许偏差和检测方法应符合表3.13.1的规定。

表3.13.1 塔类设备安装允许偏差和检测方法

| 序号 | 项　　目 | 允许偏差(mm) | 检测方法 |
| --- | --- | --- | --- |
| 1 | 设备支撑座底面高度 | ±2 | 钢板尺 |
| 2 | 设备横向中心线位置 | ±2 | 钢板尺 |
| 3 | 设备纵向中心线 | ±2 | 线锥法、钢板尺 |
| 4 | 设备支撑座底面水平度 | 2/1000 | 水平仪 |

3.13.2 压力容器现场组焊应满足设计文件的要求,当设计文件无要求时,其组焊应符合下列规定:

　　1 焊接坡口加工应符合现行国家标准《压力容器 第4部分:制造、检验和验收》GB 150.4的有关规定。现场设备组焊前,应对焊接坡口质量确认,不符合规定时应修正。

　　2 焊接接头对口错边量、焊前准备及施焊环境、焊接工艺、焊缝表面形状尺寸及外观要求、焊缝返修应符合现行国家标准《压力容器 第4部分:制造、检验和验收》GB 150.4的有关规定。

3.13.3 由法兰连接的各段设备现场组装应满足设计文件要求,当设计文件无要求时,应符合下列规定:

　　1 法兰连接的分段设备组装前,应结合设备组装图及设备管口方位图确定组装方位;

　　2 法兰密封面和密封件不得有影响密封性能的划痕、斑点等缺陷;

　　3 组装后多段设备的同心度偏差值不应大于被组装设备偏差值的规定值;

**4** 有紧固扭矩要求的螺栓,应按紧固程序完成拧紧工作,扭矩值应满足设计文件要求。

**3.13.4** 塔内件应在塔体安装、塔体压力试验合格、塔内油污、焊渣、铁锈、泥沙、毛刺等杂物清除干净,并应检验合格后安装。

**3.13.5** 塔内件安装和质量验收应符合现行国家标准《石油化工静设备安装工程施工质量验收规范》GB 50461 的有关规定。

# 4 纺丝系统设备工程安装

## 4.1 纺 丝 机

**4.1.1** 纺丝机机架安装允许偏差和检测方法应符合表4.1.1的规定。

表4.1.1 纺丝机机架安装允许偏差和检测方法

| 序号 | 项目 | 允许偏差(mm) | 检测方法 |
| --- | --- | --- | --- |
| 1 | 机架立柱与基础底板垂直度 | 0.2/1000 | 钢板尺、水平仪 |
| 2 | 机架横梁与基础底板平行度 | 0.2/1000 | |

**4.1.2** 纺丝机导丝辊、牵引辊安装允许偏差和检测方法应符合表4.1.2的规定。

表4.1.2 纺丝机导丝辊、牵引辊安装允许偏差和检测方法

| 序号 | 项目 | | 允许偏差(mm) | 检测方法 |
| --- | --- | --- | --- | --- |
| 1 | 导丝辊 | 径向圆跳动 | 0.3 | 千分表 |
| | | 水平度 | 0.2/1000 | 水平仪 |
| 2 | 牵引辊 | 径向圆跳动 | 0.3 | 千分表 |
| | | 水平度 | 0.3/1000 | 水平仪 |

**4.1.3** 纺丝机计量泵安装与质量检验应符合下列规定:

　　1 纺丝机计量泵安装应满足设备技术文件要求;

　　2 纺丝机计量泵安装后,旋转部件转动应灵活、无摩擦或阻滞。

**4.1.4** 纺丝原液管道安装与质量检验应符合下列规定:

　　1 纺丝原液管道安装前,应清除管内杂质、油污,安装应满足设计要求;

　　2 管道焊接后检验与试验应符合现行国家标准《压力管道规

范 工业管道 第5部分:检验与试验》GB/T 20801.5的有关规定;

**3** 夹套管道安装与质量检验应符合设计要求,并应符合现行行业标准《石油化工夹套管施工及验收规范》SH/T 3546的有关规定;

**4** 纺丝原液管道防静电接地措施应满足技术文件要求。

4.1.5 浴槽内外表面不得有磕碰、划伤,安装完成后应进行盛水试验,不得有泄漏。

4.1.6 纺丝机安装结束后应进行不小于24h的连续空载试运转。

4.1.7 纺丝机架钢平台防腐处理应满足设计要求,并应符合现行国家标准《钢结构工程施工质量验收规范》GB 50205的有关规定。

## 4.2 水洗与上油联合机

4.2.1 进丝导丝架安装应符合下列规定:

**1** 机架立柱安装应垂直,对水平面垂直度应小于5mm,应用线锥法、钢板尺检测;

**2** 导丝辊水平度应小于0.3mm,应用水平仪检测;

**3** 各导丝辊应光滑,不得有挂丝现象;

**4** 导丝辊安装后转动应灵活;

**5** 捕结器部件调节手轮转动应灵活。

4.2.2 水洗槽安装应符合下列规定:

**1** 槽体和喷淋管路不得有渗漏现象;

**2** 槽体和回液斗表面应平整、光滑,无划痕和污渍;

**3** 水洗槽丝束所经过部位应平整、光滑、无毛刺,不得钩挂纤维。

4.2.3 轧车安装应符合下列规定:

**1** 轧车安装允许偏差和检测方法应符合表4.2.3的规定;

表 4.2.3 轧车安装允许偏差和检测方法

| 序号 | 项目 | | 允许偏差(mm) | 检测方法 |
|---|---|---|---|---|
| 1 | 机架 | 机架底面刻线对丝束中心线的纵向偏移 | ±1.0 | 线锥法、钢板尺 |
| 2 | | 机架底面刻线对基础线的横向偏移 | ±1.0 | |
| 3 | | 顶梁上平面水平度 | 0.3/1000 | 平尺、水平仪 |
| 4 | | 轴承座平面水平度 | 0.3/1000 | |
| 5 | 主动辊 | 水平度 | 0.3/1000 | |
| 6 | | 前后两辊的平行度 | 0.3 | 卡规 |
| 7 | | 辊子中心线与丝束中心线垂直度 | 0.3 | 线锥法、钢板尺 |
| 8 | 缠辊检测 | 触杆和棍子表面间隙 | 0.5~2.0 | 塞尺 |

2 压辊、主动辊安装后转动应灵活,压辊同主动辊线接触压力应均匀;

3 移门吊链张紧应均匀,移门封闭时与机体之间不应有缝隙,升降应平稳;

4 缠辊检测杆回转应灵活。

4.2.4 上油槽安装应符合下列规定:

1 上油槽安装允许偏差和检测方法应符合表 4.2.4 的规定;

表 4.2.4 上油槽安装允许偏差和检测方法

| 序号 | 项目 | | 允许偏差(mm) | 检测方法 |
|---|---|---|---|---|
| 1 | 罗拉 | 水平度 | 0.3/1000 | 平尺、水平仪 |
| 2 | | 辊子中心线与丝束中心线垂直度 | 0.5 | 线锥法、钢板尺 |
| 3 | 风机 | 风机轴水平度 | 0.1/1000 | 平尺、水平仪 |

2 上油槽槽盖上、下移动应灵活,槽盖掀开到最大位置时不

得自动回落；

  **3** 上油槽笼式导辊、罗拉辊回转应灵活。

**4.2.5** 出丝导丝架安装允许偏差和检测方法应符合表4.2.5的规定。

表4.2.5 出丝导丝架安装允许偏差和检测方法

| 序号 | 项目 | | 允许偏差(mm) | 检测方法 |
|---|---|---|---|---|
| 1 | 导丝机架 | 上平面的水平度 | 0.15/1000 | 平尺、水平仪 |
| 2 | | 机架横向中心线对丝束中心线的垂直度 | 0.50 | 线锥法、钢板尺 |
| 3 | 张力检测机架 | 两平面对水平面的垂直度 | 0.50 | 水平仪测量 |
| 4 | 星形辊 | 辊子中心线对十字线偏移 | ±0.50 | 线锥法、钢板尺 |
| 5 | | 两辊平行度 | 0.50 | 塞尺 |
| 6 | | 辊子水平度 | 0.50/1000 | 平尺、水平仪 |
| 7 | 导丝辊 | 辊子中心线对十字线偏移 | ±1.00 | 线锥法、钢板尺 |
| 8 | | 辊子水平度 | 0.50/1000 | 平尺、水平仪 |
| 9 | 缠辊检测板 | 检测板与星形辊的间隙 | 0.50~2.00 | 塞尺 |

## 4.3 牵 伸 机

**4.3.1** 牵伸机安装允许偏差和检测方法应符合表4.3.1的规定。

表4.3.1 牵伸机安装允许偏差和检测方法

| 序号 | 项目 | 允许偏差(mm) | 检测方法 |
|---|---|---|---|
| 1 | 底座上平面水平度 | 0.1/1000 | 水平仪 |
| 2 | 各牵伸辊平行度 | 0.5 | 钢板尺 |
| 3 | 各牵伸辊径向跳动 | 0.2 | 千分表 |

**4.3.2** 牵伸辊传动齿轮箱运转应无异常响声,润滑油温升应小于35℃,牵伸辊轴承温升应小于45℃。

**4.3.3** 牵伸机安装结束后应整机空载试运转,运转时间应大于2h,运转速度应按设计的最大机械速度设置。

## 4.4 连续蒸汽定型机

**4.4.1** 连续蒸汽定型机安装允许偏差和检测方法应符合表4.4.1的规定。

表4.4.1 连续蒸汽定型机安装允许偏差和检测方法

| 序号 | 项目 | | 允许偏差(mm) | 检测方法 |
|---|---|---|---|---|
| 1 | 基础 | 基础板水平度 | 0.3/1000 | 平尺、水平仪 |
| 2 | 机架 | 机架对筒体中心线横向偏移 | ±1.0 | 线锥法、钢板尺 |
| 3 | | 机架对筒体中心线的平行度 | 2.0 | |
| 4 | | 机架安装垂直度 | 0.8 | |
| 5 | 导丝辊 | 辊筒径向跳动 | 0.1 | 千分表 |

**4.4.2** 连续蒸汽定型机筒体底座滑动端支座地脚螺栓在设备相应长圆孔两端间距应满足膨胀要求。

**4.4.3** 连续蒸汽定型机筒体滑动端地脚螺栓宜采用双螺母固定,安装完工后,应清理滑动端支座并涂润滑剂,螺母与设备支座板面间隙应为1mm~3mm,两个螺母间应锁紧。

## 4.5 链板烘干机

**4.5.1** 链板烘干机安装允许偏差和检测方法应符合表4.5.1的规定。

表4.5.1 链板烘干机安装允许偏差和检测方法

| 序号 | 项目 | | 允许偏差(mm) | 检测方法 |
|---|---|---|---|---|
| 1 | 基础 | 基础板水平度 | 0.30/1000 | 平尺、水平仪 |

续表 4.5.1

| 序号 | 项目 | | 允许偏差(mm) | 检测方法 |
|---|---|---|---|---|
| 2 | 机架 | 机架对机台中心线横向偏移 | ±1.00 | 线锥法、钢板尺 |
| 3 | 机架 | 机架对机台十字线的平行度 | 2.00 | 线锥法、钢板尺 |
| 4 | 机架 | 机架安装垂直度 | 0.80 | 线锥法、钢板尺 |
| 5 | 导轨 | 上导轨水平度 | 0.30/1000 | 平尺、水平仪 |
| 6 | 导轨 | 下导轨水平度 | 0.40/1000 | 平尺、水平仪 |
| 7 | 导轨 | 上、下导轨全长水平度 | 1.50 | 平尺、水平仪 |
| 8 | 导轨 | 导轨接头高低平齐度 | 0.30 | 塞尺 |
| 9 | 导轨 | 上导轨轨距尺寸偏差 | ±2.00 | 两侧导轨挡块处用平车轴检测 |
| 10 | 导轨 | 上导轨轨距中心对机台中心线横向偏移 | ±1.50 | 线锥法、钢板尺 |
| 11 | 主传动 | 链板主传动轴横跨水平度 | 0.25/1000 | 平尺、水平仪 |
| 12 | 主传动 | 链板主传动轴与机台十字线的平行度 | 0.50 | 线锥法、钢板尺 |
| 13 | 主传动 | 链板被动轴横跨水平度 | 0.25/1000 | 平尺、水平仪 |
| 14 | 密封板 | 密封板与蝴蝶板之间间隙 | 0~1.00 | 塞尺 |
| 15 | 密封板 | 密封板接头不平度 | 0.30 | 平尺 |

**4.5.2** 蝴蝶板外表面应光滑平整,且左右侧不得错装,密封板与蝴蝶板接触不宜过紧。

**4.5.3** 隔热门之间间隙应一致,表面应在一个平面上,并应光洁,不得有磕碰、划伤。

**4.5.4** 帘板表面应平整光滑,不得挂丝。

**4.5.5** 链条各链节、滚轮应灵活,无卡死现象。

**4.5.6** 链板间隙应均匀一致。

**4.5.7** 排风调节风门开启应轻便灵活。

## 4.6 辊筒烘干机

**4.6.1** 辊筒烘干机安装允许偏差和检测方法应符合表 4.6.1 的规定。

表 4.6.1 辊筒烘干机安装允许偏差和检测方法

| 序号 | 项目 | | 允许偏差 | 检测方法 |
|---|---|---|---|---|
| 1 | 箱体 | 箱体纵向水平度 | 0.2/1000 | 水平仪 |
| 2 | | 箱体横向水平度 | 0.1/1000 | |
| 3 | 辊筒 | 辊面径向跳动 | 0.2mm | 千分表 |
| 4 | | 各辊端面平齐度 | 2.0mm | 平尺 |
| 5 | 移门 | 横梁水平度 | 2.0mm | 水平仪 |
| 6 | | 移门高低一致性 | 2.0mm | 平尺 |
| 7 | | 移动平稳性 | 平稳 | 手感确认 |
| 8 | 出丝口导辊 | 同步带张力均匀度 | 均匀 | |

**4.6.2** 拉窗门上下应活动自如。

**4.6.3** 辊筒烘干机安装结束后应在不装回转接头状态下进行空载试运转,在设计转速条件下,试运转时间应大于 2h。

## 4.7 间歇蒸汽定型机

**4.7.1** 间歇蒸汽定型机连接法兰应平整,安装前应清除定型机锅体内异物。

**4.7.2** 间歇蒸汽定型机锅体安装允许偏差和检测方法应符合表 4.7.2 的规定。

表 4.7.2 间歇蒸汽定型机锅体安装允许偏差和检测方法

| 序号 | 项目 | 允许偏差(mm) | 检测方法 |
|---|---|---|---|
| 1 | 锅体中心线标高 | ±5 | 钢卷尺 |
| 2 | 锅体中心线方位 | ±10 | |

续表 4.7.2

| 序号 | 项 目 | 允许偏差(mm) | 检测方法 |
|---|---|---|---|
| 3 | 锅体中心线垂直度 | 2/1000 | 线锥法 |
| 4 | 锅体端口法兰面垂直度 | ±2 | 水准仪 |

**4.7.3** 间歇蒸汽定型机走台安装允许偏差和检测方法应符合表4.7.3的规定。

表4.7.3 间歇蒸汽定型机走台安装允许偏差和检测方法

| 序号 | 项 目 | 允许偏差(mm) | 检测方法 |
|---|---|---|---|
| 1 | 平台标高 | ±10 | 钢卷尺 |
| 2 | 平台梁水平度 | ±5 | 水平尺 |
| 3 | 平台表面水平度 | ±5 | 钢直尺 |
| 4 | 梯子宽度 | ±5 | 钢板尺 |
| 5 | 梯子踏步间距 | ±5 | 钢板尺 |
| 6 | 直梯垂直度 | ±4 | 线锥法 |
| 7 | 栏杆高度 | ±5 | 钢板尺 |
| 8 | 栏杆立柱间距 | ±10 | 钢板尺 |

**4.7.4** 间歇蒸汽定型机丝车轨道安装允许偏差和检测方法应符合表4.7.4的规定。

表4.7.4 间歇蒸汽定型机丝车轨道安装允许偏差和检测方法

| 序号 | 项 目 | 允许偏差(mm) | 检测方法 |
|---|---|---|---|
| 1 | 丝车轨道标高 | ±5 | 钢卷尺 |
| 2 | 丝车轨道方位 | ±10 | 钢卷尺 |
| 3 | 丝车轨道平行度 | 5/1000 | 线锥法 |
| 4 | 丝车轨道水平 | ±2 | 水准仪 |

**4.7.5** 间歇蒸汽定型机锅体滑动端底座与基础间滑动面宜涂抹润滑剂。

**4.7.6** 间歇蒸汽定型机锅体安装就位后,滑动端支座地脚螺栓在设备相应长圆孔两端间距应满足设备技术文件要求。

**4.7.7** 安装完工后,应对定型机锅体进行压力试验,压力试验应满足设备技术文件要求,且保压时间应大于30min。

## 4.8 卷 曲 机

**4.8.1** 卷曲机安装允许偏差和检测方法应符合表4.8.1的规定。

表4.8.1 卷曲机安装允许偏差和检测方法

| 序号 | 项 目 | | 允许偏差(mm) | 检测方法 |
|---|---|---|---|---|
| 1 | 机台 | 相对标高 | ±1.00 | 水准仪 |
| | | 横向水平度 | 0.20/1000 | 水平仪 |
| | | 纵向水平度 | 0.15/1000 | |
| 2 | 卷曲辊 | 轴向中心线与丝束中心线位置 | 0.50 | 沿卷曲辊吊线、钢板尺 |
| | | 上下卷曲辊水平度 | 0.20/1000 | 水平仪 |
| | | 上下卷曲辊轴线对丝束中心线垂直度 | 1.00/1000 | 拉线勾股弦法 |

**4.8.2** 卷曲机填塞箱间隙应在常态下粗调,在80℃的温度下微调。

**4.8.3** 卷曲机液压、气压动作应准确可靠,且反复动作后各部位的间隙应满足设备技术文件要求。

**4.8.4** 卷曲辊冷却油循环系统与卷曲机运转应联动可靠。

**4.8.5** 卷曲机管道系统应符合下列规定:

**1** 空压管道应进行气密性试验,密封性试验应满足设备技术文件要求,管道所有部位无渗漏为合格;

**2** 冷却油循环系统管道应进行水压试验,压力试验应满足设备技术文件要求,保压时间30min,以压力表压力不降、管道所有部位无渗漏为合格。

**4.8.6** 预热卷曲机应通70℃～80℃温水。

**4.8.7** 卷曲机安装结束后,应进行不小于2h空载试运转。

4.9 切 断 机

**4.9.1** 切断机安装允许偏差和检测方法应符合表4.9.1的规定。

表4.9.1 切断机安装允许偏差和检测方法

| 序号 | 项 | 目 | 允许偏差 | 检测方法 |
|---|---|---|---|---|
| 1 | 机台 | 相对标高 | ±1.0mm | 水准仪 |
|   |     | 纵横向水平度 | 0.1/1000 | 水平仪 |
| 2 | 压辊 | 刀盘法兰中间 | 两边均匀 | 塞尺 |
|   |     | 工作时压辊与刀盘刀刃的间隙 | (3.0～10.0)mm |   |

**4.9.2** 切断机安装应符合下列规定:
 1 压辊转动应灵活;
 2 落料斗升降及转动应灵活;
 3 升降门开启应灵活;
 4 刀盘安装位置应准确;
 5 丝束中心与刀盘中心应对齐;
 6 电位器手柄控制应可靠;
 7 刀盘升降应平稳;
 8 刀盘的拆装升降系统定位应准确。

**4.9.3** 切断机安装结束后,应进行不小于4h的连续空载试运转。

4.10 短纤维打包机

**4.10.1** 短纤维打包机安装允许偏差和检测方法应符合表4.10.1的规定。

表 4.10.1 短纤维打包机安装允许偏差和检测方法

| 序号 | 项目 | | 允许偏差(mm) | 检测方法 |
|---|---|---|---|---|
| 1 | 机架 | 底座中心线与安装基准线 | ±1.00 | 线锥法、钢板尺 |
| | | 底座顶面水平度 | 0.20/1000 | 水平仪 |
| | | 主压立柱、预压立柱与底座安装刻线 | ±0.50 | 线锥法、钢板尺 |
| | | 顶横梁中心与底座中心 | ±0.50 | |
| | | 顶横梁主压侧底面水平度 | 0.25/1000 | 水平仪 |
| 2 | 转台 | 中心立柱回转套筒垂直度 | 0.20/1000 | |
| | | 转台回转两传动齿轮啮合侧隙 | 0.20~0.30 | 塞尺 |
| 3 | 推料装置 | 推料箱水平度 | 0.50/1000 | 水平仪 |
| | | 推料板两侧面与推料箱内壁间隙 | 1.00 | 塞尺 |
| 4 | 计量秤 | 架台上平面水平度 | 0.50/1000 | 水平仪 |
| 5 | 油缸 | 两提箱油缸升降同步差 | 2.00 | 塞尺 |

4.10.2 短纤维打包机液压管道安装完成后,与液压站、油缸连接前,应用液压油冲洗管道,冲洗后应取样检查油中固体杂质含量及颗粒,颗粒含量和颗粒等级应为 17/15,并应符合现行国家标准《液压传动 油液 固体颗粒污染等级代号》GB/T 14039 的有关规定。

4.10.3 短纤维打包机安装应符合下列规定:

1 转箱及定位缓冲器应平稳,定位应准确;

2 推料板与推料箱前端面应平齐,推料板定位应准确,运行应平稳;

3 计量斗门、进料斗门开闭应平稳;

4 气缸杆伸出长度应调节准确,进料斗关闭后应无缝隙;

5 主压缸换向应平稳;

6 液压站、油缸、管道系统应密封,不得渗漏。

4.10.4 主压缸在最大使用压力下保压时间应大于 5min,且压力降应小于0.35MPa。

**4.10.5** 安装结束后应按打包程序进行机械、电气、液压和气动联动空载试运转,无故障连续打包次数不应少于10次。

**4.10.6** 空载试运转完成后,应手工投料连续打包,打包数量不应少于10包。

### 4.11 卷 绕 机

**4.11.1** 卷绕机安装允许偏差和检测方法应符合表4.11.1的规定。

表4.11.1 卷绕机安装允许偏差和检测方法

| 序号 | 项 目 | | 允许偏差 | 检测方法 |
|---|---|---|---|---|
| 1 | 卡盘轴 | 装配后纸筒面的径向跳动 | (0~0.4)mm | 百分表 |
| 2 | 槽辊 | 托丝导向块上下摆动间隙 | (0.4~0.5)mm | 塞尺 |
| 3 | | 托丝锥头间隙 | (0.3~0.4)mm | |
| 4 | | 相互平行度 | 0.2mm | |
| 5 | 卡盘轴、压辊 | 初始位置时,纸筒外表面和压辊间隙 | (0~0.5)mm | |
| 6 | | 上下指针指向4,初始状态时和丝饼直径为200mm时接触压力 | (1.5±0.1)kg | 测力计 |
| 7 | 展平装置 | 导轨与压辊座下平面相互平行度 | 0.1mm | 百分表 |
| 8 | | 相平行的展平轮,其轴线相互平行度 | 0.1mm | |

**4.11.2** 卷绕机机架不挂弹簧时应摆动灵活且机架和锁紧挡圈间隙不大于0.05mm,机架摆动过程中定位轴和挡板应始终保持轻微接触。

**4.11.3** 卡盘轴限位套安装应满足设备技术文件要求。

**4.11.4** 卡盘轴应能涨紧纸筒并顺利松筒。

**4.11.5** 槽辊毡圈压片和横动杆间隙应均匀。

**4.11.6** 压辊转动灵活,用手拨动后应能缓慢停止。

**4.11.7** 张力调整装置配重锤应调平衡,在不装弹簧时摆臂系统应达到平衡状态。

**4.11.8** 张力调整装置微动开关应灵活可靠。

**4.11.9** 导丝轮应转动灵活,用手拨动后应能缓慢停止。

# 5 通用设备工程安装

## 5.1 槽 罐

**5.1.1** 槽罐安装应符合下列规定：
 1 安装前应按技术文件要求划定安装基准线及定位基准标记，对相互间有关联或衔接的设备，还应按关联或衔接要求确定共同基准；
 2 安装前应对槽罐及附件检查，不得有损坏或锈蚀；
 3 安装前应检查槽罐纵向中心线是否清晰正确，检查方位标记、重心标记及吊挂点。

**5.1.2** 槽罐安装允许偏差和检测方法应符合表5.1.2的规定。

表5.1.2 槽罐安装允许偏差和检测方法

| 序号 | 项 目 | 允许偏差(mm) | 检测方法 |
|---|---|---|---|
| 1 | 设备支撑座底面高度 | ±5 | 钢板尺 |
| 2 | 设备横向中心线位置 | ±2 | 钢板尺 |
| 3 | 设备纵向中心线 | ±2 | 线锥法、钢板尺 |
| 4 | 设备支撑座底面水平度 | 2/1000 | 水平仪 |
| 5 | 设备非运动件之间的最小间隙 | 100 | 钢板尺 |

**5.1.3** 槽罐安装结束后，应对槽罐清洗、吹扫。
**5.1.4** 油剂调配罐安装结束后，应对整套设备和输送管道清洗。
**5.1.5** 油剂调配罐和管道清洗结束后，应模拟调配过程进行大于1h的试运转。

## 5.2 泵

**5.2.1** 泵安装应符合下列规定：

**1** 泵基础尺寸、位置和标高应满足设计要求；

**2** 不应有缺件、损坏和锈蚀等，管口保护物和堵盖应完好；

**3** 盘车应灵活，无卡阻现象，无异常声音；

**4** 主动轴和从动轴用联轴节连接时，两轴同轴度、两半联轴器端面间隙应满足设备技术文件要求；

**5** 电机与泵（减速器）连接前，应确认电机转向；

**6** 主动轴与从动轴找正和连接后，应盘车检查是否灵活；

**7** 泵与管路连接后，应复校找正情况。

**5.2.2** 泵类设备试运行质量检测应符合下列规定：

**1** 盘车转动应灵活，无异常现象；

**2** 点动电机，转向应符合转向标记；

**3** 电机、减速箱等应无异常杂音；

**4** 各连接密封点应无跑、冒、滴、漏现象；

**5** 运转中轴承温升不应大于40℃且温度不大于75℃，泵振动应满足设备技术文件要求。

**5.2.3** 泵安装和质量验收应符合现行国家标准《风机、压缩机、泵安装工程施工及验收规范》GB 50275 的有关规定。

## 5.3 风 机

**5.3.1** 风机安装应符合下列规定：

**1** 风机基础尺寸、位置和标高应满足设计要求；

**2** 风机进排气口盖板应遮盖完好，无异物进入；

**3** 风机外露加工面防锈情况应良好，转子无明显变形或严重锈蚀、碰伤。

**5.3.2** 风机试运转前，应符合下列规定：

**1** 润滑油名称、型号、主要性能和加注数量应满足设备技术文件要求；

**2** 风机润滑系统和密封填充系统冲洗应满足设备技术文件要求；

**3** 风机循环供油系统连锁装置、轴位移警报装置、水路系统调节装置、阀件和仪表等均应灵敏可靠,并应满足设备技术文件要求;

**4** 电机转向应与风机的转向相符;

**5** 盘动风机转子时,应无卡阻或摩擦现象;

**6** 阀件和附属装置应处于风机运转时负荷最小的位置。

**5.3.3** 风机安装及质量验收应符合现行国家标准《风机、压缩机、泵安装工程施工及验收规范》GB 50275 的有关规定。

## 5.4 换 热 器

**5.4.1** 立式换热器安装允许偏差和检测方法应符合表 5.4.1 的规定。

表 5.4.1 立式换热器安装允许偏差和检测方法

| 序号 | 项 目 | | 允许偏差(mm) | 检测方法 |
|---|---|---|---|---|
| 1 | 支座纵、横轴线位置 | | ±5 | 钢卷尺、线锥法 |
| 2 | 标高 | | ±5 | 水准仪 |
| 3 | 垂直度 | $H \leqslant 30m$ | $H/1000$,且不超过 30 | 钢卷尺、线锥法 |
| | | $H > 30m$ | $H/1000$,且不超过 50 | |
| 4 | 方位 | $D_o \leqslant 2m$ | 10 | 钢卷尺、线锥法 |
| | | $D_o > 2m$ | 20 | |

注:$D_o$ 为设备的外径;$H$ 为设备两端部测量点的距离。

**5.4.2** 卧式换热器安装允许偏差和检测方法应符合表 5.4.2 的规定。

表 5.4.2 卧式换热器安装允许偏差和检测方法

| 序号 | 项 目 | 允许偏差(mm) | 检测方法 |
|---|---|---|---|
| 1 | 支座纵、横轴线位置 | ±5 | 钢卷尺、线锥法 |

续表 5.4.2

| 序号 | 项目 | | 允许偏差(mm) | 检测方法 |
|---|---|---|---|---|
| 2 | 标高 | | ±5 | 水准仪 |
| 3 | 水平度 | 轴向 | $L/1000$ 且 $\leqslant 10$ | 水平仪 |
| | | 径向 | $2D_o/1000$ 且 $\leqslant 5$ | |

注：$L$ 为设备两端测点间的距离；$D_o$ 为设备的外径。

**5.4.3** 卧式换热器滑动端安装应符合下列规定：

**1** 换热器滑动端支座与基础间的滑动面宜涂抹润滑剂；

**2** 滑动端支座地脚螺栓在设备相应长圆孔两端间距应满足设备技术文件要求；

**3** 滑动端支座地脚螺栓宜采用双螺母固定，安装完成后，螺母与设备支座板面间隙 1mm～3mm，两个螺母间应锁紧；

**4** 卧式换热器轴向水平度偏差宜低向设备的排液方向；有坡度要求的设备，坡度值应满足设备技术文件要求。

**5.4.4** 空冷式换热器安装允许偏差和检测方法应符合表 5.4.4 的规定。

表 5.4.4 空冷式换热器安装允许偏差和检测方法

| 序号 | 项目 | 允许偏差(mm) | 检测方法 |
|---|---|---|---|
| 1 | 平面对角线之差 | ±5 | 钢卷尺 |
| 2 | 构架顶横梁纵向及横向水平度 | 1/1000 | |
| 3 | 柱脚底座中心线与定位轴线的偏差 | ±5 | |
| 4 | 立柱基准点标高 | −8～+5 | |
| 5 | 立柱垂直度 | $\leqslant 2$ | 线锤法或经纬仪、钢板尺 |

**5.4.5** 空冷式换热器传动部件安装应符合下列规定：

**1** 盘车应灵活，无异常现象；

**2** 点动电机，转向应符合转向标记；

**3** 电机、减速箱等处应无异常杂音；

**4** 设备各紧固部位应无松动现象，应无明显振动。

**5.4.6** 换热器压力试验应符合现行国家标准《压力容器 第4部分:制造、检验和验收》GB 150.4 的有关规定。

**5.4.7** 换热器的安装和质量验收应符合现行国家标准《石油化工静设备安装工程施工质量验收规范》GB 50461 的有关规定。

### 5.5 喷丝头清洗设备

**5.5.1** 喷丝头清洗设备安装允许偏差和检测方法应符合表 5.5.1 的规定。

表 5.5.1 喷丝头清洗设备安装允许偏差和检测方法

| 序号 | 项　　目 | 允许偏差(mm) | 检 测 方 法 |
|---|---|---|---|
| 1 | 设备支撑座底面高度 | ±2 | 钢板尺 |
| 2 | 设备横向中心线位置 | ±2 | |
| 3 | 设备纵向中心线 | ±2 | |
| 4 | 支撑座底面水平度 | 2/1000 | 水平仪 |

**5.5.2** 喷丝头清洗设备安装结束后应进行不小于1h的空载试运转。空载试运转过程中,应按设备功能和喷丝头处理的工艺要求检查、调整相关参数。

# 6 电气设施工程安装

## 6.1 电气设施及配线敷设

**6.1.1** 配电柜、控制柜等设备安装与质量验收应符合现行国家标准《电气装置安装工程 盘、柜及二次回路接线施工及验收规范》GB 50171 的有关规定。

**6.1.2** 低压电动机、电加热器和电动执行机构安装与质量验收应符合现行国家标准《建筑电气工程施工质量验收规范》GB 50303 的有关规定。

**6.1.3** 电缆桥架安装应符合现行国家标准《1kV 及以下配线工程施工与验收规范》GB 50575 的有关规定,并应符合下列规定:

  **1** 电缆桥架不应平行敷设于热力管道正上方;在其他位置与热力管道平行布置时,净距离应大于 1m;与热力管道交叉布置时,净距离应大于 0.5m;热力管道应采取绝热保护措施;

  **2** 电缆桥架水平和垂直安装每米长度允许偏差为 ±2mm,全长允许偏差为 ±10mm,可拉线、钢板尺检测;

  **3** 电缆桥架内同时布置动力线与信号线时,应采用金属隔板隔开;

  **4** 电缆桥架穿过防火墙、防火楼板及不同爆炸危险区域时,应采取防火封堵,且封堵材料耐火极限不得低于所穿墙、楼板耐火极限。

**6.1.4** 电缆敷设应符合现行国家标准《1kV 及以下配线工程施工与验收规范》GB 50575 的有关规定,并应符合下列规定:

  **1** 配线规格应满足设计要求,不得用普通线缆替代屏蔽线缆,配线使用的屏蔽层电缆屏蔽网密度应大于 90%;

  **2** 对可能遭受油、油雾、纺丝油剂、单体污染的配线场所,应采用耐油绝缘导线或采取防护措施；

**3** 电线、电缆敷设应排列整齐，不得产生扭绞、打圈现象，动力线与信号线应分槽或分区敷设，对有抗干扰要求的线路，应采取抗干扰措施；

**4** 电缆桥架内的电缆总截面积，动力电缆不应大于电缆桥架横截面积的40%，控制电缆不应大于电缆桥架净横截面积的50%；

**5** 水平敷设的电缆，应在电缆首末两端及转弯、电缆接头的两端处将电缆固定；垂直敷设或超过45°倾斜敷设的电缆应在每个支架上及桥架上每隔2m处将电缆固定；

**6** 电线电缆在桥架或汇线槽出线口无专用护口时，应对导线采取相应的保护措施；

**7** 除专用接线盒外，电缆桥架内的导线不得有接头。接头应置于接线盒（箱）或器具内。电缆接头不宜设在穿墙位置。

**6.1.5** 在电线电缆终端头、接头和分支处应设置标志牌，标志牌内容应符合下列规定：

**1** 标志牌应注明线路编号；

**2** 并联使用的电缆应注明顺序号；

**3** 字迹应清晰、不脱落；

**4** 腐蚀性场所应采取防腐措施；

**5** 标志牌规格宜统一，挂装应牢固。

**6.1.6** 爆炸和火灾危险环境电气装置和电气线路工程安装应符合现行国家标准《电气装置安装工程爆炸和火灾危险环境电气装置施工及验收规范》GB 50257的有关规定。

## 6.2 电气设备引出端子接线

**6.2.1** 电气设备引出端子接线应符合下列规定：

**1** 接线应正确，固定应牢靠；

**2** 电线或电缆芯线端部均应正确标明回路编号，每个编号的

字母阅读方向应一致,字迹应清晰、不脱落;

  3 电气柜、机台内电缆或导线应排列整齐、避免交叉,且连接端子不得施加机械应力;

  4 电线电缆绝缘护套层应与电线电缆一起引入电气柜或机台内,并应固定。

6.2.2 可动部位两端导线应用线卡固定,线缆与运动机件距离应大于25mm。

6.2.3 导线与接线端子连接时,活动弯曲半径不应小于导线外径的10倍。

6.2.4 冷压接线端头时,端头、压模规格应与线芯截面一致,端头与端子应匹配。

6.2.5 电缆芯线压接时,应先去除芯线氧化膜,且应涂中性凡士林或导电膏后再压接。

## 6.3 接地与接地线

6.3.1 电气设备和设施应有效接地,接地、接零方式应满足电气工程设计要求,并应符合现行国家标准《电气装置安装工程　接地装置施工及验收规范》GB 50169 的有关规定。

6.3.2 接地线规格、接地电阻值应满足设计要求。除设计文件另有规定外,低压电气设备地面外露接地线最小截面积应符合表6.3.2的规定。

表 6.3.2　低压电气设备地面外露接地线最小截面积

| 序号 | 名　称 | 铜($mm^2$) |
|---|---|---|
| 1 | 明敷的裸导线 | ≥4.0 |
| 2 | 绝缘多股导线 | ≥1.5 |
| 3 | 电缆接地芯线与相线在同一保护壳内的多芯导线的接地线 | ≥1.0 |

6.3.3 接地固定螺栓应配用弹簧垫圈。

6.3.4 接地、接零方式应符合下列规定:

**1** 每个电气装置的接地应以单独的接地线与接地汇流排或接地干线相连接,不得在一个接地线中串联两个及以上需要接地的电气装置;

**2** 不得利用蛇皮管、管道保温层的金属外皮或金属网、低压照明网络的导线铅皮以及电缆金属护层作接地线。

**6.3.5** 爆炸和火灾危险环境接地应符合现行国家标准《电气装置安装工程爆炸和火灾危险环境电气装置施工及验收规范》GB 50257的有关规定。

**6.3.6** 防静电接地安装及质量验收应符合现行行业标准《石油化工静电接地设计规范》SH 3097的有关规定,并应符合下列规定:

**1** 对爆炸、火灾危险场所内可能产生静电危险的设备和管道,均应采取防静电接地措施;

**2** 防静电接地装置可与其他电气设备接地装置共同设置;

**3** 设备、机组、管道等防静电接地线,应单独与接地体或接地干线相连,不得相互串联接地;

**4** 防静电接地线应连接在设备、机组等装置的接地螺栓上。连接螺栓直径不宜小于M10。

**6.3.7** 信号屏蔽电缆的屏蔽层接地应为单点接地。在接收信号的一侧,应将信号线屏蔽层与信号电路基准地连接,在发出信号的一侧,信号线屏蔽层应悬空,并应符合下列规定:

**1** 电子系统为浮地时,信号基准地与保护接地线应绝缘,不得连通;

**2** 电子系统为共地时,信号基准地与主保护接地端子应并联连接,不得多点接地。

# 7 仪表及计算机控制系统设备工程安装

## 7.1 仪表工程

**7.1.1** 仪表配管内壁应洁净,仪表应在工艺管道吹扫后安装。

**7.1.2** 压缩空气仪表配管、蒸汽仪表配管安装与质量验收应满足技术文件或仪表使用说明书的要求。

**7.1.3** 仪表用电线、电缆、补偿导线、仪表隔热、伴热等安装应满足设计文件要求。

**7.1.4** 仪表安装应符合现行国家标准《自动化仪表工程施工及质量验收规范》GB 50093 的有关规定。现场仪表安装应符合下列规定:

**1** 现场仪表应安装在便于观察、维护和操作的场所;多块仪表集中安装时宜并排或并列布置整齐,并应留有操作、维护空间;

**2** 仪表、变送器、传输电缆等的安装应安全、牢靠;

**3** 电接点或电传送器仪表宜采用立柱式支架固定;

**4** 压力变送器安装位置应高于取压点;

**5** 节流元件与管道中心线安装允许偏差应为管道内径的1%,法兰平面与管道轴线垂直允许偏差为±1mm,节流件的端面应垂直于管道轴线,其允许偏差应为0°~1°,且安装方向应正确;

**6** 料位计的接线孔应朝下,并应避免阳光直射或雨水侵入。

**7.1.5** 爆炸和火灾危险环境的仪表及控制系统施工应符合现行国家标准《电气装置安装工程爆炸和火灾危险环境电气装置施工及验收规范》GB 50257 的有关规定。

## 7.2 计算机控制系统

**7.2.1** 计算机控制系统控制室及相关硬件设备安装与质量验收,

应符合现行国家标准《电子信息系统机房设计规范》GB 50174 的有关规定。

**7.2.2** 计算机控制系统接地应符合现行国家标准《电子信息系统机房设计规范》GB 50174 的有关规定，并应符合下列规定：

**1** 直流电源采用悬浮接地时，直流电源工作地与大地之间的电阻应大于 $1M\Omega$；

**2** 直流电源采用直接接地时，直流电源的工作地与大地之间的电阻应小于 $1\Omega$；

**3** 交流工作地的接地电阻不应大于 $4\Omega$；

**4** 金属外壳接地应可靠。

**7.2.3** 计算机控制系统应采取抗干扰措施。

**7.2.4** 计算机控制系统电源线应采用三芯屏蔽电缆线，且屏蔽层应接地。

**7.2.5** 计算机控制系统通信、输入/输出（I/O）接口等连接用电缆线，应采用多芯屏蔽电缆线，且屏蔽层应接地。

**7.2.6** 计算机控制系统屏蔽电缆规格、种类应满足技术要求，屏蔽层网密度应大于 90%。

# 8 安装工程系统调整与检测

## 8.1 机械系统调整与检测

**8.1.1** 工艺调试前,应拉线复核生产线各单元设备之间的相关尺寸,导丝器等与丝束接触部件位置应满足工艺要求。

**8.1.2** 管道系统阀门开启或闭合应满足技术文件要求。

**8.1.3** 加热或冷却装置热胀冷缩形变及对周围装置的影响应满足技术文件要求。

**8.1.4** 润滑部位应加入规定牌号的润滑油,且润滑油注入量应满足技术文件要求。

**8.1.5** 设备表面需补漆或需其他处理的工作应完成并处于可使用状态。

**8.1.6** 吸枪、废丝箱等辅助生产装置应准备齐全且处于可使用状态。

**8.1.7** 设备铭牌应完整且无污损。

**8.1.8** 设备及环境卫生应清扫结束,设备处于洁净状态。

**8.1.9** 水、电、气、汽等公用工程质量应满足设计要求,并应满足设备运转要求。

**8.1.10** 设备全部运转时,厂界环境噪声排放值应符合现行国家标准《工业企业厂界环境噪声排放标准》GB 12348 的有关规定。

## 8.2 电气系统调整与检测

**8.2.1** 电气系统调整与检测应符合现行国家标准《电气装置安装工程 电气设备交接试验标准》GB 50150 的有关规定。

**8.2.2** 电路绝缘电阻值应符合下列规定:

    **1** 1kV 以下电力线路电源开关断开时,设备主回路相间电阻值及对地绝缘电阻值不应小于 1MΩ；

  **2** 直流主回路将电子仪表及保护装置隔离后的对地绝缘电阻值应大于 1MΩ；

  **3** 控制线路对地绝缘电阻值应大于 0.5MΩ。

**8.2.3** 电气控制设备和线路调试后，操作器件、继电器、接触器和指示器等电气元件的操作性能和控制功能应满足技术文件要求。

**8.2.4** 电气控制系统各节点的安全保护装置应经模拟试验和调整、校验，动作可靠、正确。

**8.2.5** 接线端子的接线应正确、可靠，不得有虚接现象。

**8.2.6** 设备接地应可靠并满足技术要求，未规定接地阻抗值时，应符合表 8.2.6 的规定。

表 8.2.6 接地阻抗规定值

| 接地网类型 | 要　　求 |
| --- | --- |
| 有效接地系统 | $Z \leqslant 2000/I$ 或 $Z \leqslant 0.5\Omega$（当 $I > 4000\text{A}$ 时）<br>式中：$I$——经接地装置流入地中的短路电流（A）；<br>　　　$Z$——考虑季节变化的最大接地阻抗（Ω）。<br>当接地阻抗不满足以上要求时，可通过技术经济比较增大接地阻抗，但不得大于 5Ω。同时应结合地面电位测量对接地装置综合分析。为防止转移电位引起的危害，应采取隔离措施 |
| 非有效接地系统 | 1. 当接地网与 1kV 及以下电压等级设备共用接地时，接地阻抗 $Z \leqslant 120/I$。<br>2. 当接地网仅用于 1kV 以上设备时，接地阻抗 $Z \leqslant 250/I$。<br>3. 上述两种情况下，接地阻抗一般不得大于 10Ω |
| 1kV 以下电力设备 | 使用同一接地装置的所有这类电力设备，当总容量 ≥100kV·A 时，接地阻抗不宜大于 4Ω，如总容量 <100kV·A 时，则接地阻抗允许大于 4Ω，但不得大于 10Ω |
| 独立避雷针 | 接地阻抗不宜大于 10Ω。注：当与接地网连在一起时可不单独测量 |

续表 8.2.6

| 接地网类型 | 要 求 |
|---|---|
| 独立的燃油、易爆气体储罐及其管道 | 接地阻抗不宜大于 30Ω(无独立避雷针保护的露天储罐不应超过 10Ω) |
| 露天配电装置的集中接地装置及独立避雷针(线) | 接地阻抗不宜大于 10Ω |
| 与架空线直接连接的旋转电机进线段上避雷器 | 接地阻抗不宜大于 3Ω |

## 8.3 仪表系统调整与检测

**8.3.1** 仪表系统调整与检测应符合现行国家标准《自动化仪表工程施工及质量验收规范》GB 50093 的有关规定。

**8.3.2** 仪表安装后,在投入使用前应进行系统调试,确认仪表的管路和线路连接正确、可靠。

**8.3.3** 仪表零点、量程、线性度等参数,应按仪表技术文件调校。比例调节器的调整范围、误差及闭环跟踪的基本误差与变差应符合技术文件,并应满足生产工艺要求。

**8.3.4** 系统回路应统一调校,每块仪表或元件均应检测;一次仪表、二次仪表对同一个模拟信号的显示应一致,并应正确无误。

**8.3.5** 联锁系统的联锁程序应满足技术要求,联锁动作及相应的灯光、音响信号应正确、可靠。

**8.3.6** 具有温度系数的压力仪表或其他检测仪表,应在工作温度下再次校正零点和量程。

**8.3.7** 负荷运行时的仪表显示值应在仪表量程允许范围内。

## 8.4 机电联调

**8.4.1** 用电设备电压和电流应满足设计要求。

**8.4.2** 气动设备和液压设备气源和液压源应满足设计要求。

**8.4.3** 现场仪表显示值与设定值偏差应在生产工艺允许范围内。

**8.4.4** 控制器指令和执行机构动作方向和位置应正确。

**8.4.5** 输入模拟检测,在非正常状态下安全保护装置应有效可靠。

**8.4.6** 电机各项参数指标应满足技术文件要求,旋转方向应正确。

# 9 安装工程验收

**9.0.1** 机电联调及各项工程完成后应及时进行安装工程验收。

**9.0.2** 安装工程满足工程承包或设备购置合同约定的技术要求，应验收合格；工程承包或设备购置合同无约定时，安装工程满足技术文件要求，应验收合格；设计或设备技术文件无要求时，安装工程满足本规范要求，应验收合格。

**9.0.3** 安装工程验收合格，相关方应在安装工程验收单上签字。签字方应各执一份安装工程验收单。

**9.0.4** 安装工程验收不合格，应以备忘录形式提出具体整改意见，明确责任人和整改完成时间。整改完成时间不明确时，除更换不合格的设备外，现场整改应在商定时间内完成，完成后应及时进行再次验收。

**9.0.5** 安装工程允许三次验收，三次整改仍不合格，应视为安装工程不合格。

**9.0.6** 安装工程验收资料应由设备使用方负责收集、整理。

**9.0.7** 安装工程验收应提供下列资料或按约定提供资料：

1 安装工程验收报告；
2 设备安装竣工图或按实际完成情况注明修改部分的施工图；
3 设计文件及设计变更通知书；
4 安装日志；
5 隐蔽工程质量检验及验收记录；
6 主要设备使用操作说明书；
7 主要设备维修保养技术文件；
8 仪表合格证和使用说明书；

9　管道吹扫及压力试验记录；
10　特种设备和特殊材料施工、检验记录；
11　物料移交清单；
12　设备试运转、机电联调、仪表调校记录；
13　重大问题及其处理纪要、备忘录；
14　安装工程竣工验收单。

# 本规范用词说明

1 为便于在执行本规范条文时区别对待,对要求严格程度不同的用词说明如下:
  1)表示很严格,非这样做不可的:
    正面词采用"必须",反面词采用"严禁";
  2)表示严格,在正常情况下均应这样做的:
    正面词采用"应",反面词采用"不应"或"不得";
  3)表示允许稍有选择,在条件许可时首先应这样做的:
    正面词采用"宜",反面词采用"不宜";
  4)表示有选择,在一定条件下可以这样做的,采用"可"。
2 条文中指明应按其他有关标准执行的写法为:"应符合……的规定"或"应按……执行"。

# 引用标准名录

《自动化仪表工程施工及质量验收规范》GB 50093
《混凝土强度检验评定标准》GB/T 50107
《工业设备及管道绝热工程施工规范》GB 50126
《电气装置安装工程　电气设备交接试验标准》GB 50150
《电气装置安装工程　接地装置施工及验收规范》GB 50169
《电气装置安装工程　盘、柜及二次回路接线施工及验收规范》GB 50171
《电子信息系统机房设计规范》GB 50174
《工业金属管道工程施工质量验收规范》GB 50184
《工业设备及管道绝热工程施工质量验收规范》GB 50185
《混凝土结构工程施工质量验收规范》GB 50204
《钢结构工程施工质量验收规范》GB 50205
《机械设备安装工程施工及验收通用规范》GB 50231
《工业金属管道工程施工规范》GB 50235
《现场设备、工业管道焊接工程施工规范》GB 50236
《电气装置安装工程爆炸和火灾危险环境电气装置施工及验收规范》GB 50257
《风机、压缩机、泵安装工程施工及验收规范》GB 50275
《建筑工程施工质量验收统一标准》GB 50300
《建筑电气工程施工质量验收规范》GB 50303
《石油化工静设备安装工程施工质量验收规范》GB 50461
《1kV 及以下配线工程施工与验收规范》GB 50575
《现场设备、工业管道焊接工程施工质量验收规范》GB 50683
《压力容器　第 4 部分:制造、检验和验收》GB 150.4

《工业企业厂界环境噪声排放标准》GB 12348
《液压传动 油液 固体颗粒污染等级代号》GB/T 14039
《压力管道规范 工业管道 第4部分:制作与安装》GB/T 20801.4
《压力管道规范 工业管道 第5部分:检验与试验》GB/T 20801.5
《压力管道规范 工业管道 第6部分:安全防护》GB/T 20801.6
《固定式压力容器安全技术监察规程》TSG 21
《压力管道安全技术监察规程——工业管道》TSG D0001
《压力容器安装改造维修许可规则》TSG R3001
《石油化工静电接地设计规范》SH 3097
《石油化工夹套管施工及验收规范》SH/T 3546

中华人民共和国国家标准

腈纶设备工程安装与质量验收规范

GB/T 51259-2017

条文说明

# 编制说明

《腈纶设备工程安装与质量验收规范》GB/T 51259—2017，经住房城乡建设部 2017 年 8 月 31 日以第 1668 号公告批准发布。

本规范编制过程中，编制组进行了大量的调查研究，认真总结了多年来腈纶生产国产和进口设备安装和实际运行经验，广泛征求了纺织、科研、设计、生产企业及大专院校专家学者的意见，对一些重要数据进行了反复推敲和验证。

为便于广大设计、施工、设备制造和使用等单位有关人员在使用本规范时能正确理解和执行条文规定，《腈纶设备工程安装与质量验收规范》编制组按章、节、条顺序编制了本规范需解释的条文说明，对条文规定的目的、依据以及执行中需注意的有关事项进行了说明。但是，本条文说明不具备与规范正文同等的法律效力，仅供使用者作为理解和把握规范规定的参考。

# 目　次

1 总　则 …………………………………………………（59）
2 基本规定 ……………………………………………（61）
　2.1 一般规定 ………………………………………（61）
　2.2 设备基础 ………………………………………（63）
　2.3 地脚螺栓、垫铁与灌浆 ………………………（64）
　2.5 安全、职业卫生及环境保护 …………………（64）
3 聚合、原液及回收设备工程安装 …………………（66）
　3.1 聚合釜 …………………………………………（66）
　3.2 终聚釜 …………………………………………（66）
　3.6 聚合物烘干机 …………………………………（66）
　3.12 五效蒸发装置 ………………………………（66）
　3.13 塔类设备 ……………………………………（67）
4 纺丝系统设备工程安装 ……………………………（68）
　4.1 纺丝机 …………………………………………（68）
　4.3 牵伸机 …………………………………………（68）
　4.4 连续蒸汽定型机 ………………………………（68）
　4.5 链板烘干机 ……………………………………（68）
　4.6 辊筒烘干机 ……………………………………（69）
　4.10 短纤维打包机 ………………………………（69）
　4.11 卷绕机 ………………………………………（69）
6 电气设施工程安装 …………………………………（70）
　6.1 电气设施及配线敷设 …………………………（70）
　6.3 接地与接地线 …………………………………（70）
7 仪表及计算机控制系统设备工程安装 ……………（72）

| | | |
|---|---|---|
| 7.1 | 仪表工程 ………………………………………… | ( 72 ) |
| 8 | 安装工程系统调整与检测 …………………………… | ( 73 ) |
| 8.2 | 电气系统调整与检测 …………………………… | ( 73 ) |

# 1 总 则

**1.0.1** 本条中腈纶设备指采用以丙烯腈、共聚单体、化工料、催化剂等为主要原料,经湿法一步法或二步法生产工艺生产腈纶纤维和腈纶基(PAN)碳纤维原丝主装置内的工艺、电气及仪表设备。一步法生产工艺指丙烯腈和共聚单体在溶剂中反应聚合,聚合后聚合体不经分离,直接制成原液进行纺丝的生产方法。原液由纺丝计量泵压送到纺丝头,从喷丝板的喷丝孔中喷入凝固浴槽的凝固液中,凝固形成初生态的凝胶纤维经凝固和热水水洗及牵伸、上油、干燥、蒸汽热牵伸、松弛定型、上油、卷绕(收丝)等后处理工序,最终制成 PAN 基碳纤原丝。湿法二步法生产工艺指采用水相聚合、湿法纺丝、溶剂为有机溶剂二甲基乙酰胺(DMAc)和硫氰酸钠(NaSCN)两种生产工艺。以二甲基乙酰胺(DMAc)为溶剂的二步法湿法生产工艺是经过水相悬浮聚合反应,生成聚丙烯腈和共聚物淤浆,脱单体后的淤浆经过滤洗涤、脱水,制得湿聚合物,经干燥后再与溶剂混合制成原液。原液通过喷丝头进入溶剂水溶液并凝固成丝束,然后被洗涤、牵伸、上油、烘干、卷曲。卷曲后的丝束经定型后制成腈纶丝束或经切断成短纤维后打包。以 NaSCN 为溶剂的二步法湿法生产工艺采用水相悬浮聚合制得聚合物,脱单体后的淤浆经过滤、脱泡、洗涤、脱水,制得湿聚合物滤饼再与溶剂混合形成淤浆,溶胀的淤浆经溶解过滤制成纺丝原液。纺丝原液通过喷丝头进入溶剂水溶液并凝固成丝束,然后被洗涤、牵伸、烘干、定型、上油、卷曲和后道烘干,制成腈纶丝束或经切断成短纤维后打包。

**1.0.2** 本条对规范的适用范围做了规定,腈纶设备工程安装包括聚合、原液制备、溶剂回收、纺丝、纺丝后处理、卷曲切断、短纤维打包等工艺主装置和电气、仪表设备的安装。与主装置配套的装置（如：罐区）、外围公用工程（如：热媒站、循环水站、空压冷冻站、变配电站等）、厂区工程不包括在本规范内。

# 2 基本规定

## 2.1 一般规定

**2.1.3** 本条规定的目的旨在提出设备安装前后的清洗和吹扫的规定,现行国家标准《机械设备安装工程及验收通用规范》GB 50231—2019 中第 6.4 节规定了液压、润滑管道安装后清洗的技术规定,附录 E 规定了装配件与管道清洗的技术要求,附录 J 规定了管道冲洗清洁度等级。设备、管道若不清洗、清洁或吹扫干净,可能会污染所输送的液体或气体,堵塞阀门甚至损坏仪器、仪表。

**2.1.4** 由于腈纶生产所需的原料具有易燃易爆、有毒、腐蚀性高等特性。本条所指的设备管道是在制造厂加工制造完毕,只需现场安装的管道,目的旨在强化已有管道的质量检验。现行国家标准《工业金属管道工程施工规范》GB 50235 规定了详细的技术要求,需根据腈纶设备管道的特点,有针对性地进行检验。

**2.1.5** 本条规定了施工现场一般容器、管道现场组装焊接应执行的规范。现行国家标准《现场设备、工业管道焊接工程施工规范》GB 50236—2011 适用于"碳素钢、合金钢、铝及铝合金、铜及铜合金、工业纯钛、镍合金的手工电弧焊、氩弧焊、二氧化碳气体保护焊、埋弧焊和氧乙炔焊的焊接工程"。焊接的通用性原则请按照现行国家标准《现场设备、工业管道焊接工程施工规范》GB 50236—2011 的第 3 章"基本规定";碳素钢及合金钢的焊接应执行第 7 章"碳素钢及合金钢的焊接"的规定;铝制材料的焊接应执行第 8 章"铝及铝合金的焊接"的规定;铜质材料的焊接应执行第 9 章"铜及铜合金的焊接"的规定;焊接工艺及焊接检验应执行第 5 章"焊接工艺评定"和第 13 章"焊接检验及焊接工程交接"的规定。

**2.1.7** 本条规定了现场制作的压力管道应执行的标准规范。压力管道是承压设备的一部分,之所以单独列为一条,是考虑到腈纶设备的压力管道大多需要在现场连接或焊接。这些连接或焊接工程若不认真执行相关标准、规范,泄漏的物质将污染环境,影响正常生产操作,甚至造成所生产的产品质量不稳定。

**1** 现行国家标准《压力管道规范 工业管道 第 4 部分:制作与安装》GB/T 20801.4—2006 规定了工业金属压力管道制作和安装的基本要求,对焊接、装配和安装进行了详细的规定,安装施工时需结合实际情况执行相应的规定。

**2** 现行国家标准《压力管道规范 工业管道 第 5 部分:检验与试验》GB/T 20801.5—2006 规定了工业金属管道的检验、检查和试验的基本要求,应认真执行。执行过程中如本规范中有相关的检验或试验规定时,考虑了专业的特殊性,应优先执行本规范的规定。

**3** 现行国家标准《压力管道规范 工业管道 第 6 部分:安全防护》GB/T 20801.6—2006 规定了适用于工艺装置、辅助装置以及界区内公用工程所属的压力管道安全保护装置(安全泄放装置、阻火器)和安全防护基本要求。

根据现行国家标准《压力管道规范 工业管道 第 1 部分:总则》GB/T 20801.1—2006 的规定,"压力管道"系指最高工作压力大于或等于 0.1MPa 的气体、液化气体、蒸汽介质或可燃、有毒、有腐蚀性、最高工作温度高于或等于标准沸点的液体介质,且公称直径大于 25mm 的管道。公称直径小于或等于 25mm、最高工作压力低于 0.1MPa 或真空、不可燃、无毒、无腐蚀性的液体承压管道亦可按照 GB/T 20801.6 的有关规定,但不属于安全监察范围,且不列入管道等级。腈纶设备安装施工时可根据管道的性质进行区分,并执行现行国家标准《压力管道规范 工业管道 第 6 部分:安全防护》GB/T 20801.6 相关的防护、安全措施。

**2.1.8** 本条规定的目的是避免在高温过程中螺栓与螺孔或螺母烧结在一起,不利于拆卸。耐高温防烧结油脂一般使用耐高温的二硫化钼。

**2.1.13** 本条规定的目的是强调合同的优先权。希望订立合同的双方注意,合同规定的安装与质量验收条件或技术要求,个别指标可以调整,但若低于本规定,虽然双方可以接受,但不利于进步和产品的升级换代,不具备市场竞争力。

## 2.2 设 备 基 础

**2.2.1** 本条对设备基础地平面做出了规定。

**1** 本款规定的目的是强调设备基础的重要性。现行国家标准《机械设备安装工程施工及验收通用规范》GB 50231—2009 适用于各类机械设备安装工程施工及验收的通用性要求,该规范第 2 章规定了"施工条件",第 3 章规定了"放线、就位和调平"的基本要求,第 4 章规定了"地脚螺栓、垫铁和灌浆"的技术要求,对机械设备安装的基础做了详细的规定。腈纶设备大多是大型设备,且处于常年运转状态,设备基础有缺陷,将会造成生产困难,严重时将造成设备损坏,既影响生产又影响经济效益,所以设计上对设备基础都有严格的要求。

**2** 本款规定了混凝土设备基础质量应达到的国家标准,且规定了现行国家标准《混凝土结构工程施工质量验收规范》GB 50204 和《建筑工程施工质量验收统一标准》GB 50300 配套使用。混凝土设备基础可视为建筑工程的一部分。现行国家标准《混凝土结构工程施工质量验收规范》GB 50204 适用于建筑工程混凝土结构施工质量的验收,现行国家标准《建筑工程施工质量验收统一标准》GB 50300 适用于建筑工程施工质量的验收,并作为建筑工程各专业工程施工质量验收规范编制的统一准则。两个标准配套使用能更好地保证混凝土设备基础质量。

**5** 本款规定的目的是限制混凝土养护期内设备就位行为,规定了混凝土强度的评定标准,避免凭人为感觉评定混凝土的强度值。

**2.2.3** 本条规定的目的是强化钢结构平台制作的规范性,以避免钢结构平台的随意制作可能引发的财产损失。钢结构平台大多承载大型较重或高温下工作的设备,且安装或维修操作过程中人员在设备周围集中,因此,钢结构平台的质量决定着财产和人身安全。鉴于腈纶设备的特性,本条规定了钢结构平台的制作和质量验收除应符合现行国家标准《钢结构工程施工质量验收规范》GB 50205 的有关规定外,尚应符合本条规定。

钢结构平台一般用于支撑设备的基础,也有的厂房主体是钢架结构。现行国家标准《钢结构工程施工质量验收规范》GB 50205 对钢结构的焊接工程、紧固件连接工程、钢零部件加工工程、钢构件组装工程、钢结构涂装工程及钢结构分部工程竣工验收等做了详尽的规定。

## 2.3 地脚螺栓、垫铁与灌浆

**2.3.1** 现行国家标准《机械设备安装工程施工及验收通用规范》GB 50231—2009 第 4.1 节"地脚螺栓",详细规定了地脚螺栓施工的技术要求;第 4.3 节"灌浆",规定了灌浆的技术要求。

**2.3.2** 本条规定了地脚螺栓安装的允许偏差,使施工人员通过本条可明了该技术要求。

**2.3.3、2.3.4** 这两条规定是关于垫铁的。目的是进一步明确垫铁的技术要求,与现行国家标准《机械设备安装工程施工及验收通用规范》GB 50231—2009 第 4.3 节配合执行。

## 2.5 安全、职业卫生及环境保护

**2.5.1** 本条对安装现场的安全管理做出了规定。

**3** 本款规定安装现场与正在生产的车间在同一建筑物内时,用户应采取的安全隔离措施。安装现场比较复杂,电、气焊、吊装等工程可能会影响生产现场,甚至对生产有潜在的安全危险。可采用砌简易墙或用篷布隔离等措施。一般安装现场和生产现场之间不留通道,现场条件不允许时,通道可留在不影响生产运转的车间两端。

**7** 本款规定其目的是加强易燃易爆等危险化学物品管理,防止发生安全事故。

# 3 聚合、原液及回收设备工程安装

## 3.1 聚 合 釜

**3.1.4** 腈纶生产所需原料,丙烯腈、共聚单体、化工料、催化剂等具有不同程度的毒性、易燃易爆、腐蚀性强等特性。因此,腈纶生产具有易燃易爆、有毒、高温高湿等特点,聚合釜应根据技术要求对密封性和防泄漏性能进行检测。

## 3.2 终 聚 釜

**3.2.2** 本条条文说明同第3.1.4条条文说明。

## 3.6 聚合物烘干机

聚合物的面条状颗粒,经铺匀器均匀地铺在链板上,厚度150mm~200mm。随着链板的运行,链板上的聚合物颗粒经5个区的烘干和1个区的冷却,使聚合物的含水均匀的控制在0.8%~2.5%,达到工艺规定的要求。

## 3.12 五效蒸发装置

本节五效蒸发装置是采用硫氰酸钠(NaSCN)湿法生产工艺,在腈纶生产的原液准备过程中,将纺丝返回的低浓度硫氰酸钠溶液浓缩至原液准备要求的高浓度溶液所需要的主要装置的统称。包括第一至第五效蒸发器、加热器、预加热器、混合冷凝器、过滤器、闪蒸装置、换热器等。

**3.12.2、3.12.4** 这两条规定了第一至第五效蒸发器的安装及试验要求。

## 3.13 塔类设备

本节塔类设备是指采用二甲基乙酰胺(DMAc)湿法生产工艺,在腈纶生产的溶剂回收过程中,将纺丝回收的稀溶剂经过第一至第四效蒸馏塔,并经溶剂反应塔、溶剂精馏塔得到高纯度 DMA 并循环应用到生产过程中的主要装置。

**3.13.5** 第一至第四效蒸馏塔的塔内件,根据工艺要求,其安装数量、结构形式及定期更换、除垢周期的要求亦不同,需根据技术文件的要求进行安装。

# 4 纺丝系统设备工程安装

## 4.1 纺 丝 机

本节纺丝机未按不同纺丝生产工艺单独列出不同纺丝生产工艺的纺丝机,湿法纺丝机、干喷湿纺纺丝机均按本节执行。

**4.1.4** 本条第 2 款规定了纺丝原液管道焊接后的检验与试验应符合现行国家标准《压力管道规范 工业管道 第 5 部分:检验与试验》GB/T 20801.5 的有关规定,DMAc 生产工艺的纺丝原液属有毒液体,以保证安全。

## 4.3 牵 伸 机

**4.3.1** 本条规定了牵伸机安装基础的平面度要求。基础平面度值是指设备机台所占基础面积范围内的要求,设备基础平面度的好坏影响到整台设备的安装质量。

## 4.4 连续蒸汽定型机

本节的连续蒸汽定型机用于硫氰酸钠(NaSCN)湿法生产工艺,区别于二甲基乙酰胺(DMAc)湿法生产工艺的间歇蒸汽定型机,是丝束在定型机中,连续在湿热、松弛的状况下完成纤维的残余收缩以及消除纤维的内应力,从而保证成品纤维的工艺性能。

## 4.5 链板烘干机

本节链板烘干机用于硫氰酸钠(NaSCN)湿法生产工艺的调温调湿烘干机和后道烘干机。这两道烘干机在生产线的位置不同,其作用也不同,头道温湿烘干机是降低纤维的含湿量,后道烘干机是去除纤维经牵伸、上油、卷曲后含有的水分。两道烘干机均为链板传动型式,结构相似,所以安装和质量验收合并为一节。

## 4.6 辊筒烘干机

本节辊筒烘干机区别于硫氰酸钠(NaSCN)湿法生产工艺的链板烘干机,是采用多组通蒸汽的加热辊筒形成加热干燥区烘干丝束,整个烘干过程为紧张干燥而无收缩。

## 4.10 短纤维打包机

本规范所列设备包含了硫氰酸钠(NaSCN)和二甲基乙酰胺(DMAc)两种湿法生产工艺部分专用设备和通用设备。其中硫氰酸钠(NaSCN)湿法生产工艺纺丝后牵伸部分设备有纺丝机、水洗与上油联合机、牵伸机、连续蒸汽定型机、链板烘干机、卷曲机、切断机、短纤维打包机。二甲基乙酰胺(DMAc)湿法生产工艺纺丝后牵伸设备有纺丝机、水洗与上油联合机、牵伸机、辊筒烘干机、间歇蒸汽定型机、卷曲机、切断机和短纤维打包机,重复设备未列出,生产线的设备均到短纤维打包机为止,未包含丝束打包机和毛球打包机。

## 4.11 卷 绕 机

本节卷绕机用于腈纶基(PAN)碳纤维原丝生产线丝束卷绕成型,生产线设备主要包括纺丝机、热水水洗及牵伸、上油、干燥、蒸汽热牵伸、松弛定型、上油及卷绕等后处理设备,重复设备未列出。

# 6 电气设施工程安装

## 6.1 电气设施及配线敷设

**6.1.1** 本条规定了腈纶设备的电气设备如配电柜、电机控制中心、变频器柜、控制柜、屏、台、箱及其配套设施等的安装规范。

**6.1.2** 本条规定了腈纶设备的低压电动机、电加热器和电动执行机构的电气接线规范。引用现行国家标准《建筑电气工程施工质量验收规范》GB 50303—2015 第 6 章"电动机、电加热器及电动执行机构检查接线"。

**6.1.4** 本条第 4 款规定了电缆总截面积与桥架横截面面积之比,引用现行国家标准《低压配电设计规范》GB 50054—2011 第 7.2 节(Ⅲ)的相关条款。

**6.1.6** 本条规定了爆炸和火灾危险环境电气设施的施工及验收应按照现行国家标准《电气装置安装工程爆炸和火灾危险环境电气装置施工及验收规范》GB 50257 的相关规定执行。

爆炸性气体环境危险区域,腈纶纤维生产过程中,聚合、原液制备、中间罐区、回收及泵房等场所,有丙烯腈、丙烯酸甲酯、二甲基甲酰胺爆炸性气体混合物逸散。按照现行国家标准《爆炸危险环境电力装置设计规范》GB 50058 相关规定,划分为 2 区爆炸性气体混合物环境。

爆炸性粉尘环境危险区域,聚合物干燥机、聚合物输送及存储区,按照现行国家标准《爆炸危险环境电力装置设计规范》GB 50058 划分为 11 区爆炸性粉尘危险区域环境,其引燃温度分组为 T11。

## 6.3 接地与接地线

**6.3.1** 腈纶设备接地、接零的可靠性直接影响设备的正常运转。

本条应用了现行国家标准《电气装置安装工程　接地装置施工及验收规范》GB 50169的有关规定。

**6.3.4** 本条规定目的是为了确保接地的可靠性。

**1** 接地线串联使用,当一处接地线断开,易造成串接设备接地点均不接地。

**2** 蛇皮管、管道保温层的金属外皮或金属网、低压照明网络的导线铅皮以及电缆金属护层等,它们的载流量低、强度差又易腐蚀,易造成接地不良或断开。

**6.3.6** 本条规定了腈纶设备静电接地的安装规范,引用现行行业标准《石油化工静电接地设计规范》SH 3097的相关条款。第1款引用现行国家标准《防止静电事故通用导则》GB 12158—2006第6章"静电防护技术措施"的条款,规定在静电危险场所,所有属于静电导体的物体必须接地。

# 7 仪表及计算机控制系统设备工程安装

## 7.1 仪表工程

**7.1.2** 本条规定的目的是属于压力管道的仪表配管,其安装和质量验收应符合本规范第2.1.7条的有关规定。

# 8 安装工程系统调整与检测

## 8.2 电气系统调整与检测

本节规定了腈纶设备工程安装中电气系统联调应检测的项目和参数,引用现行国家标准《电气装置安装工程 电气设备交接试验标准》GB 50150—2006 与之相关的主要内容有:第 23 章"二次回路",第 24 章"1kV 及以下电压等级配电装置和馈电线路",第 26 章"接地装置",第 27 章"低压电器"。